ZO SANNE

ZO
SANNE

MARJAN VAN DEN BERG

VAN HOLKEMA & WARENDORF
Unieboek BV, Houten/Antwerpen

ROMAN *je blijft lezen*

'En? Hoe bevalt het om een getrouwde vrouw te zijn?' grapt Yvonne in de de eerste week van het nieuwe jaar door de telefoon.

'Mmmmmm. Matig,' zegt Sanne. Ook deze avond is Rob weer laat. Er kwam een kort belletje. Druk, druk, druk. We zijn bezig met een speciaal project. Ik leg het je nog wel eens uit. Reken maar niet op me, met eten.

'En dat had ie wel eerder kunnen vertellen,' zegt ze tegen Yvonne. Die lacht.

'Kind, je begint echt te klinken als een getrouwde vrouw! Zo eentje uit een tekening van Peter van Straaten!' Dan moet Sanne ook lachen.

'Misschien stel ik me ook wel aan. Maar die tijd in België was zo heerlijk. Zo lekker simpel. Zelf gesneden brood met boter en ham. De houtkachel, een glas wijn. Lange wandelingen en diepe gesprekken. Nu zijn we weer zo aan het rennen. Rob gaat al weg als het nog donker is en lang nadat het alweer donker is, komt hij een keer thuis. Niks an. Jak.'

'Langzaam wordt het weer lichter. Echt waar. Kom maar een keertje bij ons eten. Blijf je lekker slapen en dan verwennen wij je met diepe gesprekken en wijn,' belooft Yvonne.

'Doe ik. We spreken gauw af.'

Ze sluit de duisternis buiten door de gordijnen dicht te doen en pakt een boek. Gedachteloos bladert ze. Zal ik even naar Wichard? Nee. Als Rob thuiskomt in een leeg huis is dat ook niet erg attent van haar. Hier blijven maar. Ik heb geen hoofd voor dat boek. Al drie keer opnieuw begonnen en nog weet ik niet wie al die mensen zijn. Zal ik dan de televisie maar aanzetten? Halftien alweer. Waar blijft Rob toch?

Als de telefoon rinkelt, schrikt ze ervan.

'Lieverd, met mij. Ik blijf hier slapen, want het wordt echt laat. Ik hoop dat je het niet erg vindt?' Robs stem klinkt schuldbewust.

'Hebben ze dan bedden op de redactie?' vraagt Sanne verbaasd. Daar had ze hem nog nooit over gehoord.

'Nee, nee. We zitten ergens anders. En er is een collega uitgevallen en nu vul ik zijn dienst op. Het is een beetje ingewikkeld. Ik leg het je nog wel eens uit,' zegt hij gehaast.

Sanne kan nu ook duidelijk andere stemmen horen en vraagt: 'Ben je er morgenochtend dan? Of werk je dan ook?'

'Ik ben, denk ik, tegen tienen thuis. Maar dan ben jij al naar de receptie, zeker? Ik wip daar wel even naar binnen. Dag, lieverd! Dag!' Weg is hij. Sanne zit nog verwonderd naar de hoorn in haar hand te kijken.

'Ik wist wel dat het druk is op een krant, maar dat je daar vierentwintig uur per dag mee bezig kan zijn, had ik niet gedacht,' zegt ze hardop in de lege kamer. Dan kan ik nu net zo goed even naar de kantine gaan, besluit ze. Hazel springt meteen op, als ze haar schoenen aantrekt.

'Kom maar, lieverd. We gaan op pad,' zegt ze. Maar de kantine is leeg en donker. Dat ziet ze meteen als ze aan komt lopen. Er zijn in deze periode maar twee huisjes verhuurd; voor campinggasten is dit niet het ideale seizoen en er is ook geen groep schoolkinderen aanwezig in de grote boerderij. In de receptie is ook alles donker, maar bij Wichard ziet ze licht branden. Voorzichtig tikt ze tegen het raam, voordat ze de deur opendoet. Moortje schiet langs haar benen naar buiten.

'Hoi, mam. Kom je me gezelschap houden?' vraagt Wichard, die aan tafel zit met zijn laptop.

'Ben je nog aan het werk?' vraagt Sanne, terwijl ze hem een zoen op zijn wang geeft.

'Plannen smeden. Toekomsten uitstippelen,' zegt Wichard en hij wijst op zijn laptop, waarop ze ziet dat hij bezig is met een nieuw beleidsplan.

'En de privéplannen?' vraagt ze, terwijl ze haar jas uittrekt.

'Hou maar op. Suzanne is het afgelopen weekend naar een studiebijeenkomst van de kerk geweest. Om haar ouders een plezier te doen. En daar is ze weer zo van in de war, dat ze huilend aan de telefoon hing,' verzucht Wichard.

'In de war van de inhoud? Of van iets anders?'
'Nee, niet de inhoud, denk ik. Meer van het vertrouwde, van al die mensen die ze al jaren kent en met wie ze toch een hechte groep vormt. En dan overvalt haar weer het idee dat ze dat allemaal op moet geven,' legt Wichard uit.
'Ze kan daar toch gewoon mee doorgaan?' vraagt Sanne verbaasd. Wichard schudt zijn hoofd.
'Nee, als ze eenmaal de stap neemt om te kiezen voor een leven met mij en Rinke, dan is ze daar niet langer welkom. Zo gaat dat nou eenmaal.'
'Wat vreselijk is dat toch,' zegt Sanne. Oprecht verdrietig wordt ze ervan. Wat Suzanne ook kiest, makkelijk zal het nooit worden.
'Wil je wat drinken, mam? Waar is Rob eigenlijk?'
'Doe maar een sapje. Rob is nog aan het werk. Hij belde dat hij niet thuis zou komen. Hij komt morgenochtend pas terug,' vertelt Sanne.
'Werken ze dan ook 's nachts aan de krant? Dat wist ik niet. 's Avonds ja, maar 's nachts?' zegt Wichard, terwijl hij in de keuken een glas vruchtensap inschenkt en voor zichzelf een biertje pakt.
'Ik heb dit ook nog nooit meegemaakt. Hij is de hele week al laat. Niks leuk. Hij is zwijgzaam ook. Doodmoe van die lange dagen.'
'Misschien zijn er veel zieken,' oppert Wichard. 'Je zit er toch niet over te piekeren, hè? Je vertrouwt hem toch wel?'
'Tuurlijk, joh!' lacht Sanne gemaakt luchtig.

Natuurlijk vertrouw ik hem, zei ze tegen Wichard. Maar de twijfel slaat toe als Rob iedere uitleg van zijn lange werktijden vermijdt. Geen tijd, te moe, nu even douchen, hè nee, geen gezeur over werk, hij wil er nu even niet aan denken.

Hij heeft een ander, denkt Sanne steeds vaker. Avond na avond is Rob weg. De ene keer komt hij laat thuis, de andere keer nog later.

'Het is niet erg gezellig voor je, hè?' vraagt hij op een avond, als hij naast haar op de bank uitgebreid zit te gapen.

'Niet echt, nee,' zegt Sanne eerlijk.

'Ik kan er echt niets aan doen,' zegt hij, terwijl hij op zijn horloge kijkt. 'Vanavond ga ik vroeg naar bed, want ik wil om vier uur in de auto zitten.'

'Om vier uur? In de nacht?' Ze kijkt hem vol afgrijzen aan en Rob lacht.

'We beginnen morgenochtend heel vroeg. Ik vertel het je allemaal wel. Echt waar,' sust hij. Tegelijk staat hij op en zegt: 'Ik scheer me vanavond vast, dan ben ik morgenochtend meteen weg.' Sanne zwijgt en kijkt hem na. Mannen met een verhouding scheren zich vaker, heeft ze ooit gelezen. En ze douchen meer. Soms meteen als ze thuiskomen. Net als Rob. Niet om even op te frissen, zoals hij dan roept, maar om de vreemde geurtjes van zich af te spoelen. Ze zucht van haar eigen gedachten. Een hoofd vol verdenkingen en akelige gedachten. Hoe kom ik daarvan af? Confronteer hem ermee, zou Yvonne meteen zeggen. Vraag het gewoon. Maar als het onzin is? Zou hij dan niet gekwetst zijn? Ze zit die avond langer dan normaal voor de televisie en registreert absoluut niet waar ze naar kijkt. Sanne piekert. Tot haar hoofd er zeer van doet. En als ze eindelijk in bed kruipt, zorgt ze er voor Rob niet wakker te maken. Stel je voor dat hij tegen me aan gaat liggen. Ik kan dat op dit moment niet eens verdragen. Dan mag hij me eerst uitleggen wat hij al die tijd aan het doen is. Als ze de eerste haan in het dorp hoort kraaien, heeft ze nog steeds geen oog dichtgedaan, maar wel een plan.

Om halfvier gaat de wekker en door haar wimpers heen ziet Sanne hoe Rob de badkamer inloopt. Ze hoort het geluid van zijn tandenborstel en daarna de douche. Meteen springt ze haar bed uit, schiet in haar spijkerbroek en haar trui, trekt meteen een

paar schone sokken aan en duikt net voordat Rob weer de slaapkamer inkomt onder het dekbed.

'Dag, lieverd,' zegt Rob. Hij geeft haar een kus op haar wang en
ze kreunt slaperig, het dekbed stevig om haar hals vastklem-
mend. Als hij die trui ziet...! Rob is nog niet de deur uit of Sanne
heeft haar schoenen al aan. Vlug pakt ze haar jas, ze fluit naar
Hazel en loopt met de enthousiaste hond naar de parkeerplaats.
Tot haar opluchting duikt Hazel meteen de bosjes in, dus daar
hoeft ze zich voorlopig niet druk over te maken. Op de parkeerplaats wacht ze achter de heg, totdat ze de auto van Rob weg ziet
rijden. Als hij eenmaal de hoek om is, rent ze naar haar auto,
commandeert Hazel naar haar plaatsje in de achterbak en start
de wagen.

Ze rijdt snel, maar blijft goed opletten. Waar is hij heen? Naar
de snelweg via de kortste route? Gokken maar. Haar hart klopt
in haar keel. Pas als ze op de snelweg de auto van Rob in de
verte ziet rijden, haalt ze opgelucht adem. Ik heb hem. Nu volgen.

Even maar komt er een gedachte in haar hoofd op, die zegt:
wat doe ik? Ik lijk wel gek. Maar dan drukt ze alle twijfel
weg. Ik wil weten waar hij heen gaat. Ik wil dat gewoon weten. Ze schrikt op als ze ziet dat Rob een andere afslag neemt
dan hij normaal zou kiezen om naar de redactie te rijden. Het
is nog lastig om hem ongemerkt te volgen, maar aan de andere kant zal Rob geen moment vermoeden dat ze achter hem
aan rijdt. Dus waarom zou hij argwaan krijgen. Ze wordt wat
rustiger nu; het nerveuze kloppen van de ader in haar nek
neemt af.

Ze draait achter Rob aan een volksbuurt in en in de smalle straten met al die geparkeerde auto's is het moeilijk om hem in de
gaten te blijven houden. Als ze ziet dat hij gaat inparkeren, staat
ze boven op haar rem en rijdt terug, naar een plekje waar ze haar
auto in kan draaien. Gebukt achter het stuur kijkt ze toe hoe Rob
de auto afsluit en een steegje inloopt tussen twee huizenblokken.
Wat nu? Net als ze van plan is maar weer naar huis te gaan, ko-

men er busjes aan van de politie. Van twee kanten sluiten ze de hele straat af. Er zijn arrestantenwagens bij en busjes vol met speciale agenten met helmen op en kogelvrije vesten aan. Stomverbaasd kijkt Sanne toe. Er is geen geluid, geen sirenes, niets. Naast haar stopt een busje met agenten, waardoor ze met geen mogelijkheid haar auto meer weg kan krijgen. Als er politieagenten uit de wagens springen, beginnen ze de straat af te zetten met roodwit lint en een agent die in de gaten krijgt dat Sanne daar met grote ogen in haar auto zit toe te kijken, gebiedt haar uit te stappen.

'Waar moet u zijn?' vraagt de agent narrig.

'Ik moet naar mijn werk,' liegt Sanne. In de achterbak begint Hazel opgewonden te blaffen.

'U kunt nu niet wegrijden. De hele straat wordt afgezet,' zegt de agent afgemeten. Hij kijkt nerveus om zich heen en ook Sanne ziet ontsteld hoe de politiemacht aangroeit en hoe mensen met speciale pakken aan en wapens in hun handen zich groeperen aan de voorkant van een pand. Anderen rennen op aanwijzingen van een man in een vale regenjas een steeg in.

'Ik ben in een filmopname verzeild,' stelt ze hardop vast.

'U moet hier weg,' gebaart de agent.

'Maar waar naar toe? Ik heb niet eens een riem mee voor Hazel!' De paniek slaat toe. Wat moet ze doen? Het politiebusje naast haar auto is leeggestroomd en ze kan met de auto nooit meer weg.

'Wegwezen. Die kant op! Achter de afzetting!' wijst de agent nog een keer gehaast. Ze sluit haar auto af en ziet hoe haar tas nog op de passagiersstoel ligt. Straks haalt ze haar auto wel op, besluit ze. Dit zal toch niet zo lang duren?

'Oké, ik ga al,' zegt ze tegen de agent en dan tegen Hazel: 'Kom maar. We gaan even een blokje om.' Hazel springt meteen uit de auto en stopt met blaffen.

'Hazel. Voet.' Hazel gaat keurig aan haar linkerzij staan en kijkt kwispelend omhoog.

'Volg.' Ze loopt de straat uit, met de hond naast haar. Maar ze is nog geen vijf meter gevorderd, of er klinkt een enorme knal. Geschrokken kijkt ze om. Dan ziet ze hoe er onder de groep politiemensen bij het pand paniek is uitgebroken. Er klinkt opgewonden geschreeuw en overal wordt nu gerend en geroepen.

'Wegwezen!' schreeuwt de agent naar haar. Hij staat nog steeds bij het roodwitte lint en is een beetje weggedoken achter de geparkeerde auto's.

'Hazel!' schreeuwt Sanne. Maar Hazel luistert niet. Die rent, haar staart tussen haar benen, weg van het angstaanjagende geluid. Ze hoort schoten en nog meer geschreeuw, overstemd door een angstaanjagend gegil en een stem door een megafoon, al even afschrikwekkend. Ze rent nu, de straat uit, achter Hazel aan.

'Hazel! Hier!' Maar de hond reageert niet en rent een steeg in. Hijgend zet Sanne de achtervolging in, weg van het geluid en biddend dat ze Hazel zal inhalen. In de steeg is niets te zien. De labrador is spoorloos verdwenen. Ze voelt hoe de tranen over haar wangen lopen en rent door een netwerk van stegen achter de huizen. Tot er opeens een man voor haar staat met een helm op en een wapen in zijn hand. Onder zijn helm draagt hij een bivakmuts en hij draagt een zwaar, kogelvrij vest.

'Halt!' schreeuwt hij. Ze staat meteen stil en huilt: 'Mijn hond! Hebt u een labrador gezien? Hij is geschrokken van het lawaai en is weggerend!'

'Legitimatie,' gebiedt de man.

'Mijn tas ligt nog in de auto!'

'Armen en benen spreiden,' blaft de man. Sanne gehoorzaamt en wordt vluchtig gefouilleerd. Dan gebiedt hij: 'Mee. Loop maar voor me uit.' Ze loopt dezelfde weg terug als ze eerst achter Hazel aangerend is, onderwijl speurend naar de hond. Haar hart klopt in haar keel. Als ze bij haar auto is gekomen, wijst ze: 'Dat is hem. Mag ik hem openmaken?' De man maakt een gebaar en Sanne pakt haar tas. Ze haalt nerveus haar rijbewijs tevoorschijn en ziet vanuit haar ooghoeken dat er bij het pand waar de politie een inval deed, mensen worden afgevoerd, geboeid en met een shirt over hun hoofd. De man controleert haar gegevens en knikt.

'U kunt nu nog niet weg hier. Ik raad u aan even ergens onderdak te zoeken. Aan het eind van de ochtend zijn we wel klaar hier.'

'Dan pas? En mijn hond is weggelopen. Die is geschrokken van het lawaai,' huilt Sanne.

'Verderop is een koffiehuis. U kunt daar vast wel wachten. Of uw hond zoeken, natuurlijk. Sterkte. Ik ga mijn ronde weer lopen.' De man maakt een gebaar dat lijkt op een saluut en laat Sanne alleen.

'Mevrouw? Bent u gestrand door de inval?' Iemand anders staat nu voor haar, met een kladblokje in zijn hand.

'Mijn hond is weg. Een labrador,' huilt Sanne.

'Is dat uw auto?' Ze knikt.

'Dus u kunt niet weg. Dat is zeker een hele tegenvaller,' veronderstelt de man. Hij maakt aantekeningen.

'Hoe ziet uw hond eruit?' Sanne is helemaal overstuur. Ze rommelt in haar tas op zoek naar een zakdoek en voelt dan hoe ze misselijk en draaierig wordt.

'U wordt helemaal wit,' zegt de man bezorgd.

'Ik voel me niet lekker,' mompelt ze. Haar benen lijken onder haar vandaan te draaien en ze laat zich op de stoep zakken, met haar rug tegen haar auto.

'Rustig maar,' sust de man, terwijl hij om zich heen kijkt naar iemand die hulp kan bieden. Sanne heeft inmiddels haar hoofd tussen haar knieën gedrukt en haalt diep adem. Concentreer je, prent ze zichzelf in. Val niet flauw. Haal rustig adem. Rustig. In... uit... in... uit... rustig. Ze voelt hoe ze weer iets helderder wordt, maar ze blijft zitten op de koude stoep. Het is nog steeds donker en akelig in de straat en de kou kruipt op door haar kleren.

'Hazel is weg,' kreunt ze wanhopig.

'Rustig maar, mevrouw. Ik ga wel hulp halen,' biedt de man aan. Dan roept hij: 'Rob?! Hierheen! Deze mevrouw is haar hond kwijt door de inval. En ze is niet goed geworden. Kom even!' Sanne hoort voetstappen en dan hoort ze een heel bekende stem zeggen: 'Een hond kwijt? Ach God. Wat sneu. Die is natuurlijk geschrokken van het lawaai.' Ze voelt een hand op haar rug en dan zegt diezelfde stem stomverbaasd: 'Sanne?! Wat doe jij hier?!'

Sanne zit nog steeds op de grond, als versteend. Dat is Rob!

'Haar interviewen we niet. Dat is mijn vrouw,' zegt hij woedend. 'Sorry. Ik ga wel even verderop kijken,' zegt de man met het kladblok. Duizelig kijkt Sanne op naar Rob, die voor haar staat. 'Wat doe jij hier in vredesnaam? En waar is Hazel!' Rob schreeuwt het uit van woede en ongeloof.

'Hazel is weggerend,' zegt Sanne. 'Die schrok van het lawaai.'

'Je bent me gevolgd, hè? Stommeling. We mochten bij de observatie zijn van het pand waar je net die inval hebt gezien. Er zaten mensen die verdacht worden van het plannen van terroristische acties. Vierentwintig uur per dag werden ze in de gaten gehouden en wij mochten erbij zijn. Het wordt een heel bijzondere reportage. En dan vind ik jou, op de stoep. En je bent onze hond kwijt. Je bent me gevolgd, hè? Je vertrouwde het niet. Allemachtig!' Hij spuugt de woorden in haar richting en heeft zijn agressie nauwelijks onder controle.

'Hoe durf je! Heb ik je ooit reden gegeven om me niet te vertrouwen? Ongelooflijk!' Woest beent Rob heen en weer op straat. Dan keert hij zich weer naar Sanne.

'Je haalt het niet in je hoofd om thuis te komen zonder Hazel. Hoe durf je. Verman jezelf maar en ga zoeken.'

Ze hoort hoe hij wegloopt en mompelt nog: 'Rob, het spijt me zo.' Maar hij is weg. Ik moet Hazel zoeken, beseft ze. Langzaam komt ze tot zichzelf en de politieagent, die haar wegstuurde, komt weer naar de afzetting.

'We gaan het busje verplaatsen. Als u meteen weggaat, kunt u wel even passeren. Dan houd ik het lint wel opzij,' biedt hij aan.

'Graag,' mompelt Sanne. Ze weet hoe ze eruitziet, bleek en vlekkerig met dikke ogen van het huilen. Weg hier, dat is alles waar ze nog aan kan denken. Weg. Hazel zoeken. Ze draait haar auto zenuwachtig uit de parkeerplek en rijdt achteruit, langs het lint dat de agent opzij houdt.

'U kunt daar draaien,' wijst de man op een inrit. Sanne knikt en keert. Hoe moet ik in hemelsnaam Hazel vinden? Ze rijdt als verdoofd door de straten, de afzetting vermijdend. Bij iedere steeg stopt ze, maar Hazel is nergens te bekennen. Het wordt langzaam lichter en daardoor wordt het ook drukker in de smalle straten. Mensen gaan naar hun werk, stappen in hun auto en de straten raken vol. Al dat verkeer! En dan Hazel, die in paniek los rondloopt... Wat was Rob kwaad. Was? Is... En terecht. Hoe kon ik ooit zoiets stoms doen! Het is al een uur of negen als ze besluit Yvonne te bellen. Ze pakt haar mobiele telefoon en belt haar vriendin.

'Yvonne? Ben je thuis? Moet je werken?' huilt ze, als ze de stem van Yvonne hoort.

'Lieverd, wat is er met je? Nee, ik ben vanochtend vrij. Ik begin pas om half twee.'

'Ik heb iets stoms gedaan. Mag ik naar je toe komen?'

'Natuurlijk mag je naar me toekomen, gekkie. Kom maar gauw.'

'Ik ben met een minuut of tien bij je,' snikt Sanne.

Yvonne vraagt niets meer, niet eens hoe dat kan en waar Sanne dan is. Ze zegt alleen: 'Ik zet de koffiepot aan.'

Even later valt Sanne huilend in Yvonnes armen en zegt: 'Hazel is weggelopen!'

'Eerst koffie. Dan vertellen,' besluit Yvonne. Ze zet een mok warme koffie op tafel en Sanne drinkt, met zenuwachtige kleine teugjes.

'Je bent helemaal verkleumd,' stelt Yvonne vast. 'Wat is er gebeurd?' Sanne vertelt en Yvonne luistert.

'We moeten gaan zoeken, maar we gaan eerst bellen. Met de dierenambulance en het asiel. Dan maken we een poster op de computer en gaan de buurt in. We plakken overal onze oproepen op en gaan zoeken en vragen. Ik bel nu mijn werk en neem een vrije dag. Ga jij alvast achter de computer zitten en maak een berichtje. Print er maar een heleboel uit. Kom op! Aan het werk!' Het kost Sanne nog heel wat moeite om zich te vermannen, maar uiteindelijk is ze opgelucht dat er nu iets gebeurt. Ze zet Yvonnes computer aan en hoort hoe Yvonne in de kamer telefoneert.

'Er is geen hond binnengebracht. Ook de dierenambulance heeft geen meldingen binnen over een labrador. Ze loopt dus nog gewoon ergens rond. Ze hebben mijn mobiele nummer voor het geval dat ze iets horen. En met mijn werk is alles geregeld. Ben je klaar? Prima! Print maar uit.' Sanne laat zich bruut commanderen, dolblij dat Yvonne het initiatief neemt. Nog steeds loopt ze bibberig rond, overstuur door haar idiote actie en de fatale gevolgen.

Een halfuur later lopen ze samen door de buurt, prikken folders met punaises op hekjes en bomen en spreken mensen aan die ze tegen komen in de buurt.

'Een labrador? Blond? Nee. Niet gezien. Ik zal voor u uitkijken,' belooft iedereen.

'Dit wordt niks,' verzucht Sanne.

Maar dan gaat Yvonnes telefoon. Sanne houdt haar adem in als ze Yvonne hoort zeggen: 'Waar is ze heen gebracht? Fantastisch! We gaan er meteen heen. Hartstikke bedankt!' Ze drukt de oproep weg en zegt tegen Sanne: 'Dierenarts Pronk. We rijden er meteen heen.'

'Is ze gezond?' vraagt Sanne angstig.

'Daar hadden ze geen gegevens over. Ze is door een particulier naar de dierenarts gebracht en die heeft het gemeld bij het asiel. Kom op!' Ze rennen naar de auto en Yvonne start meteen. Even later staan ze voor de deur van de praktijk van Pronk.

'U komt voor de hond die is binnengebracht?' vraagt de assistente van de dierenarts. Sanne en Yvonne knikken.
'Hazel,' zegt Sanne.
'Ach, wat een mooie naam,' zegt de assistente vriendelijk. 'Ik zal de dierenarts even roepen. Volgt u me maar.' Sanne voelt haar knieën een beetje knikken. Het zal Hazel toch wel zijn? Stel je voor dat het een andere hond is...
'Het is haar vast,' fluistert Yvonne, terwijl ze Sanne even geruststellend in haar arm knijpt.
'Lees je gedachten?' fluistert Sanne terug. De assistente gaat hen voor, door de praktijkkamer naar een ruimte waar allerlei kooien staan, de meeste leeg, maar sommigen met katten, honden en een konijn, half kaalgeschoren.
'Helemaal achteraan,' wijst de assistente.
'Hazel!' Sanne ziet het meteen. Het is Hazel. Ze ligt languit in de kooi op een dekentje. Ze ziet geen verband, maar Hazel lijkt toch onder narcose. Sanne laat zich op haar knieën zakken en zegt: 'Hazel, lieverd, ben je daar? Hier is het vrouwtje, het komt allemaal goed. Heus waar. Het spijt me zo. Ach, lieve schat, wat is er dan? Word eens wakker! Heeft die lelijke dierenarts je...'
Dan houdt ze abrupt haar mond, omdat ze van Yvonne een schop tegen haar kuit krijgt.
'Ze ligt bij te komen, mevrouw,' zegt een afgemeten mannenstem achter haar. Het is de dierenarts en Sanne hijst zich overeind.
'Pronk,' zegt hij, terwijl hij haar een hand geeft. 'We hebben haar

even rustig moeten maken om haar goed te kunnen onderzoeken. Ze was zo angstig, dat het ons beter leek haar even weg te maken. En ik zal u meteen maar vertellen dat uw hond niets mankeert. Ze is licht geraakt en gelukkig heeft ze geen schade ondervonden. Misschien wat lichte kneuzingen, maar niets ergs.'

'Licht geraakt? Dus ze is aangereden?' vraagt Sanne bezorgd.

'Ja. Door een jongen op een scooter. Hij heeft gelijk de dierenambulance gebeld. Fantastische actie van zo'n knul. Dat mag u wel beseffen. Ik heb zijn adres, want hij heeft wel schade aan zijn scooter,' zegt de arts. Sanne hoort wat gescharrel in de kooi en keert zich weer naar Hazel.

'Dag, lieverd, word je wakker? Hier ben ik, Hazel. Hier is het vrouwtje. Hazel! Kijk eens?' De hond kwispelt meteen bij het horen van haar stem en langzaam gaan haar ogen open. Meteen probeert ze op te krabbelen, maar dat lukt niet. Duizelig zakt ze een paar keer door haar poten.

'Geef haar maar even de tijd,' zegt de dierenarts. Hij maakt de kooi open en Sanne kan nu met haar handen bij Hazel komen. Die likt meteen haar hand en kwispelt traag.

'God, wat ben ik blij,' zegt Sanne met tranen in haar ogen.

'Zullen we even de administratie afhandelen?' vraagt Pronk zakelijk. Sanne krijgt een strookje pillen mee tegen misselijkheid en mag de rekening pinnen. Die is niet mis, beseft ze.

'Hier hebt u het adres van de jongeman die nu een kapotte scooter heeft. Voor de zekerheid wil ik uw adres noteren. Voor het geval u de schade aan de scooter niet afhandelt.'

'Natuurlijk. Dat snap ik,' zegt Sanne. Ze pakt haar rijbewijs en de dierenarts noteert haar adres.

'Ik maak het heus wel in orde,' verzekert ze hem.

'Ach, mevrouw, jarenlange ervaring heeft me geleerd dat het goed is het zekere voor het onzekere te nemen,' merkt de man laconiek op. Inmiddels is Hazel uit de kooi gekropen en aan Sannes voeten gaan liggen. Tranen schieten opnieuw in haar ogen, als ze zich bukt en haar achter haar oren kroelt.

'Zo gauw ze kan lopen, mag u haar meenemen,' zegt de arts.

Gelukkig herstelt Hazel razendsnel en tien minuten later lopen ze naar de auto, Hazel wat stijfjes naast haar, aan een oude riem die de dierenarts haar meegaf. Ze moet de hond nog wel achter in de auto tillen, want erin springen, daar heeft Hazel geen zin in. En ze gaat meteen op haar kussen liggen, als ze in de achterbak is getild.

'Nu die scooter,' besluit Sanne.

'Zou je dat niet vanavond doen? Dan kun je eerst met Hazel naar huis, even bijkomen,' stelt Yvonne voor. Maar Sanne schudt haar hoofd.

'Nee, ik wil er meteen vanaf. Zo lang kan dat niet duren.' En dat is ook zo. De jongen is niet thuis, maar zijn moeder doet open en die is vol lof dat Sanne meteen langskomt.

'Hier hebt u mijn adres en telefoonnummer,' zegt Sanne. Ze laat weer ter controle haar paspoort zien. 'Als u de scooter naar de reparateur brengt, hoor ik wel wat het kost. Dat maak ik dan meteen aan u over. En u moet uw zoon maar zeggen dat ik hem echt enorm dankbaar ben voor zijn optreden. Ik ben zo blij dat hij niet doorgereden is. Dus dit is alvast een beloning. Om iets leuks van te kopen.' Ze pakt vijftig euro uit haar portemonnee en legt het op tafel.

'Dat is hartstikke leuk van u. Weet u, ik voed ze altijd op met de belofte dat eerlijkheid beloond wordt en het is leuk als dat ook een keertje wordt bevestigd. Want vaak stoot je ook nog eens je neus en blijf je met de schade zitten,' zegt de moeder.

'Nou, nu even niet,' lacht Sanne. Ze neemt hartelijk afscheid en gaat naar de auto, waar Yvonne op Hazel past.

'Ziezo,' zegt Yvonne. 'Nu mij thuis afzetten en dan gauw naar huis. Lekker even languit op de bank. Wat zul jij moe zijn.'

'Ja, bekaf,' beaamt Sanne. Maar ze denkt alleen maar: Straks komt Rob thuis. Hoe zal dat aflopen?

Rob negeert Sanne volkomen als hij eenmaal thuis is, en duikt meteen op Hazel af. Hij vraagt niets, maar inspecteert de hond van top tot teen en lijkt niet te luisteren naar Sanne, die zenuwachtig verslag doet van de bevindingen van de dierenarts.

'Ga je even mee met de baas?' vraagt hij daarna aan Hazel. Die staat kwispelend klaar, haar koppie verwachtingsvol in zijn richting. Samen lopen ze de deur uit en Sanne zegt: 'Straks heb ik het eten klaar.' Rob reageert niet.

Als hij thuiskomt, schept hij staand aan tafel een bord nasi op en loopt ermee naar zijn werkkamer. De deur gaat achter hem dicht. Sanne eet alleen. Ze slaapt ook alleen, want Rob verkiest de logeerkamer en trakteert haar op stilte. Ze probeert het maar niet te doorbreken en dagenlang hangt er een dreigende sfeer vol woorden die niet gezegd worden. Het is af en toe alsof ze zijn gedachten kan pakken. Woest is hij, dat voelt ze in alles. Ook al zegt hij niets en ook al slaat hij niet met deuren, zijn verontwaardiging hangt als een dikke wolk om hem heen.

'Sloeg hij maar eens met een deur, stampvoette hij maar en schold hij me maar uit,' verzucht ze door de telefoon tegen Yvonne, die haar regelmatig opbelt om te vragen of de lucht alweer een beetje is opgeklaard. Dagen worden weken. Weken waarin Sanne op Rinke past, wat administratief werk doet voor de camping en braaf elke avond een warme maaltijd klaarzet op een gedekte tafel, die Rob vervolgens behandelt als een warm buffet: opscheppen en wegwezen.

Drie weken later is ze nog geen millimeter opgeschoten. Hij negeert haar smeekbeden, gaat zijn eigen weg en negeert haar volkomen.

'Dit houd ik niet vol. Ik boek een reis naar Egypte of weet ik veel waar en ik verdwijn. Ik word echt knettergek van die man,' vertelt ze aan Yvonne, die als enige het geheim met haar deelt. Ze verzwijgt het voor Wichard en zelfs aan juffrouw Schaap heeft ze haar zotte actie niet durven opbiechten.

'Heb je al wat van die jongen met die scooter gehoord?' vraagt Yvonne.

'Ja. Driehonderd euro. Ik heb het meteen overgemaakt en kreeg nog een leuk kaartje terug van die mensen met een labrador erop. Hartstikke lief. Ik raak tegenwoordig snel ontroerd door iedereen die iets aardigs tegen me zegt,' vertelt Sanne somber.

Als Cathy haar op een dag opbelt en haar en Rob uitnodigt voor een gezellig dinertje, is de ramp compleet.

'Ik zal proberen het met Rob te overleggen. Want ik weet niet hoe het met zijn agenda is,' zegt ze. Cathy ruikt meteen onraad.

'Proberen? Hoe bedoel je? Gaat het wel goed met jullie?' vraagt ze vol zucht naar sensatie.

'Ja, best,' antwoordt Sanne zonder veel overtuiging.

'Ik bel hem wel op de krant,' zegt Cathy resoluut en nog voor ze Sanne heeft kunnen horen roepen: 'Nee, niet doen!' hangt ze op. Tien minuten later belt Cathy weer op.

'Wat doet Rob raar! Hij zegt dat hij niet weet of dit een geschikt moment is om samen te eten! Wat bedoelt hij daarmee?'

'Dat weet ik toch niet,' antwoordt Sanne kregelig. 'Dat moet je aan hem vragen!'

'Ja, dat heb ik ook gedaan. Maar hij zei dat hij het druk had. Hij zou er nog op terug komen. Zo raar!'

'Ik denk echt dat hij het druk had,' oppert Sanne.

'Ja. Dat zal wel. Maar toch is het raar. Ik heb twee data voorgesteld. Dan kan hij toch gewoon even kijken?'

'Als hij midden in een verhaal zit, is hij niet erg aanspreekbaar,' legt Sanne uit.

'Ach nee, dat zal het zijn. Goed verhaal was dat laatst in de bijlage, zeg! Van die observatie en die inval in die woning waar ze samenkwamen om aanslagen te beramen. Echt smullen. Hij zal je wel veel spannende verhalen hebben verteld in die periode! Hij heeft daar zowat dag en nacht gezeten, hè?' vraagt Cathy.

'Ja, dat was een hectische periode. Maar hij vertelde er weinig over, want er mocht natuurlijk niets uitlekken,' zegt Sanne.

'Nee, logisch. Zitten die kerels eigenlijk nog vast? Straks nemen ze nog wraak op Rob. Best eng eigenlijk, zijn naam staat er wel bij,' griezelt Cathy.

'En die van andere collega's. Het is gewoon een verslag. Of die mensen schuldig zijn, dat bepaalt uiteindelijk de rechter. Ik denk niet dat Rob zich zorgen maakt over zijn veiligheid. Waarom zou hij,' zegt Sanne.

'Hebben jullie het daar niet over gehad, dan? Ik zou me wel zorgen maken. Die rechercheurs blijven ook niet voor niets anoniem. Daar moeten jullie toch ook over hebben nagedacht,' zegt Cathy vol sensatiezucht.

'Niet echt,' zegt Sanne kort. Ze piekert zich suf hoe ze op een nette manier van dit telefoontje af kan komen en wordt gelukkig door het toeval geholpen.

'O! Daar komt Marijke net binnen! Dag, lieverd!' jubelt Cathy. 'Sanne, ik ga je hangen! Ik bel je nog wel!'

'Goed hoor. Da-ag!' Met een zucht van opluchting hangt Sanne op. En om iedere confrontatie met een volgende beller te vermijden, trekt ze haar jas aan en wandelt met Hazel het bos in. Ik zou altijd door willen blijven lopen, bedenkt ze, als ze de frisse winterlucht opsnuift. Gewoon doorlopen en nooit meer omkeren. Heerlijk. Maar uiteindelijk loopt ze toch weer terug naar huis, ook al bekruipt haar voor de zoveelste maal een moedeloos gevoel als ze bedenkt hoe de avond zal verlopen. Tot haar verrassing zit Rob al op de bank als ze binnenkomt. Hij kijkt haar aan en zegt: 'Wij moeten praten, vind ik.'

'Ja. Dat moeten we zeker,' zegt Sanne meteen.

'Cathy heeft opgebeld om ons uit te nodigen voor een etentje,' meldt Rob.

'Ja, dat weet ik. Maar daar moeten we niet over praten,' vindt Sanne. En als Rob haar alleen maar aankijkt, vervolgt ze aarzelend: 'Toch?'

'We zullen een datum moeten prikken.'

'Ja. Maar is dit dan het gespreksonderwerp?'

'Over andere dingen wil ik het niet hebben,' zegt Rob afgemeten.

'Welke andere dingen?'

'Nee, dat zal je niet lukken. Gedane zaken nemen geen keer. Wat gebeurd is, is gebeurd. Je hebt al gezegd dat het een domme actie was en ik wil daar niet op terugkomen.'

'Ik vind dat we het er wel over moeten hebben.' Sanne hoort hoe haar stem een beetje hapert.

'Nergens voor nodig. Wanneer gaan we eten bij Cathy?' Hij bladert in zijn agenda.

'Ik ga niet bij Cathy zitten eten als we niet rustig over alles kunnen praten. Ik vind het idioot om alles zomaar dood te zwijgen. Als je nog steeds boos bent, moet je dat gewoon zeggen,' vindt Sanne.

'Ik ben niet boos meer. Dat is over. Maar ik heb geen zin in oeverloos gezemel over hoe en waarom. Als je niet bij Cathy wilt eten, dan gaan we niet.' Hij klapt zijn agenda dicht en legt hem op tafel.

'Volgens mij ben je nog wel kwaad. Zo kom je in ieder geval op mij over,' zegt Sanne.

'Ik kwam ook op je over als een man die een paar dagen na zijn huwelijk al een overspelige relatie was aangegaan. Dus misschien ontbreekt er iets aan je beoordelingsvermogen.'

'Dan moeten we het daar misschien wel over hebben,' merkt Sanne op.

'Daar heb ik nu juist geen zin in.'

'Nee, ik ook niet. Maar het moet wel.'

'Van mij niet. We sluiten het af en laten het voor wat het is. Of was.'

'Maar dan blijft er altijd iets tussen ons in staan!' Sanne voelt hoe er tranen in haar ogen schieten.

'Dat vind jij. Voor mij is dat boek dicht en ik ben dankbaar dat er niets is gebeurd met Hazel. Ik heb geen zin in oeverloos gezever over een gebeurtenis waar we nu toch niets meer aan kunnen veranderen. In plaats dat je blij bent, dat ik er zo op reageer... Je gaat toch zeker niet huilen hè?'

'Nee. Ik ga niet huilen.' Ze loopt naar de keuken en steunt met twee handen op het aanrecht. Dan doet ze de kraan open en houdt haar polsen onder het stromende water. Wat moet ik nu? Dit voelt helemaal niet goed. Dit voelt nog erger dan die hele periode van stilte. Waarom doet hij zo?

'Waarom doe je zo?' vraagt ze aan Rob, die nog steeds schijnbaar ontspannen op de bank zit.

'Hoe, zo?'

'Zo afwijzend. Als we nu wel rustig met elkaar over de afgelopen tijd kunnen praten, dan klaart dat de lucht toch op?' Ze loopt, met de keukendoek haar handen afdrogend, weer de kamer in.

'Daar komt alleen maar ruzie van. Ik wil er niet over praten.'

'Daar hoeft toch helemaal geen ruzie van te komen? We weten allebei al lang waar de schuld ligt. Dat heb ik toch toegegeven? Maar we moeten het er wel over hebben. Ik wil het kunnen uitleggen,' probeert Sanne.

'Zodat ik er begrip voor kan opbrengen? Sorry, Sanne, wat je ook zegt, dat begrip zul je van mij niet krijgen. Niet voor zoveel achterdocht. Dat je me zelfs bent gevolgd! Nee. Geen woord meer. Laten we maar een afspraak plannen met Cathy,' antwoordt Rob.

Als ik daar nu niet op inga, zal ik een volgende periode van stilte moeten verduren, beseft Sanne.

'Doe maar een voorstel,' zegt ze.

Een uur later heeft Rob, op een heel amicale toon, een afspraak gemaakt met haar zus. Daarna zegt hij: 'Zullen we vanavond lekker uit eten gaan? Dan gaan we naar de Italiaan in het dorp. Om te vieren dat alles weer gewoon is. Goed?' Hij kijkt haar opgelucht lachend aan.

'Ja. Goed,' zegt ze.

'Maar er is wel één onderwerp verboden,' voegt hij toe.

'Dat begrijp ik inmiddels,' antwoordt ze.

'Mooi. Kom hier.' Hij spreidt zijn armen en Sanne loopt naar voren om zich te laten knuffelen.

'Zie je wel,' mompelt hij met zijn mond in haar nek. 'Je hoeft heus niet alles uit te praten. Zo. Nu is alles goed. Dan hoef ik ook niet meer naar de logeerkamer.' Sanne zucht eens diep.

'Niet zuchten. Ik weet wel wat je denkt. Over mannen van Mars en vrouwen van Venus en zo. Maar we stoppen deze herinnering in een kast, sluiten de deur en gooien de sleutel weg. Afgesproken?'

Ze antwoordt niet hardop en knikt vaag. Toch zegt haar gevoel iets heel anders en het valt haar moeilijk om die avond het gesprek gaande te houden zonder het verboden onderwerp aan te snijden.

'Heerlijk is dat kalfsvlees,' geniet Rob.

'Mooi zacht, hè?' bevestigt Sanne. Net alsof we nooit meer over iets wezenlijks mogen praten, bedenkt ze triest.

'Ik heb zulke avonden gemist, de afgelopen tijd,' probeert ze.

'Sssst! Niet meer over praten,' lacht Rob.

Hoe kan ik blijven doen alsof er niets is gebeurd? vraagt ze zich wanhopig af, als ze gearmd naar huis lopen. Net of ik blijvend iets heb afgesloten. Of we nooit meer alles kunnen delen. Ze voelt zich lichamelijk misselijk van de hele situatie.

'Dat was gezellig,' zegt Rob tevreden. Hij geeft haar een kneepje in haar arm. 'Ik ben zo blij dat alles weer goed is.'

'Ik moet spugen,' zegt Sanne benauwd.

De avond loopt beroerd af, maar Rob is een en al zorgzaamheid.

'Je hebt vast iets verkeerds gegeten,' zegt hij bezorgd, terwijl Sanne kokhalst langs het pad naar de camping.

'Zal ik nog maar een avondje op het logeerbed?' vraagt hij, als Sanne onder de douche staat. 'Ben je nog erg beroerd?'

'Ik voel me helemaal niet lekker,' antwoordt ze naar waarheid. Dus die nacht ligt Rob naast haar, maar evengoed mijlen van haar vandaan.

'Ben je nog steeds misselijk?' fluistert hij, als ze midden in die slapeloze nacht het bed uitstapt en naar het toilet gaat.

'Het gaat wel,' fluistert ze terug.

Als ze naar zichzelf kijkt in de spiegel van de badkamer, bedenkt ze dat ze nooit zal kunnen zeggen dat ze zich beroerd voelt door de situatie en dat het niets te maken heeft met haar maag.

'Opgeknapt?' vraagt hij de volgende ochtend bij het opstaan. Sanne knikt.

'Ja. Gelukkig wel.' Ze forceert een glimlach, krijgt een kus als Rob naar zijn werk vertrekt en gaat over tot de orde van de dag.

'Ik moet het misschien gewoon naast me neer leggen,' zegt ze hardop, als ze met Rinke en Hazel een ommetje maakt.

'Wat zeg je oma?' vraagt Rinke.

'Niks, lieverd.'

Als Rob 's avonds thuiskomt, merkt ze meteen dat hij iets op zijn lever heeft.

'Vertel,' zegt ze.

'Ik denk dat ik mijn vader heb gevonden,' zegt hij bedachtzaam.

'Je meent het?' Sanne is meteen nieuwsgierig. 'Waar!'

'Ik heb de laatste tijd leuke contacten bij de politie. Tijdens een van die langdurige observatiesessies kwam het gesprek op mijn zoektocht naar Henk Schieringer. Ze hebben wat onderzoekswerk op die naam losgelaten en zijn er inmiddels achter dat onze Henk zich meestal beweegt onder een andere naam. Niet zonder reden, trouwens. De man zit in de handel. En dan niet in waterijsjes. Het schijnt dat hij internationaal nogal bekend is als leverancier van alles wat God verboden heeft. Wapens, chemische bestanddelen, noem maar op.'

'Wat is zijn andere naam?'

'Takken.'

'Volgens mij heb ik laatst een interview met hem gelezen,' merkt Sanne op.

'Klopt. Toen verdedigde hij zich tegen een beschuldiging dat hij chemische middelen had verkocht aan Irak,' knikt Rob.

'Ja, dat weet ik nog. Ik dacht nog: er klopt wel iets van dat verhaal. Want eerst was Iran de boosdoener en was het prima als je aan Irak leverde, omdat die zich uiteindelijk moesten verdedigen. Later keerde alles zich om en die man vond dat je zulke ontwikkelingen niet kunt voorspellen. Zelfs wereldleiders maken fouten en hij was gewoon een handelaar. Staat hij ook niet in de Quote top 100? Volgens mij is hij steenrijk,' herinnert Sanne zich.

'Dat zou best kunnen. Ik kijk het op de krant wel na. Takken is de naam van zijn moeder, die hij aannam omdat hij niets meer met zijn vader te maken wilde hebben,' vertelt Rob.

'Of hij wilde een andere identiteit om onder zijn vaderschap uit te komen. Hij heeft geweten dat Cootje zwanger was. En hij wilde misschien niet zo makkelijk gevonden worden door haar,' oppert Sanne. 'Misschien deed hij dat wel, vlak nadat hij wist dat Cootje hem zocht omdat ze zwanger was van jou.'

'Wie weet?'

'Waar is hij nu?' vraagt Sanne.

'Dat wil Interpol ook graag weten. Het is een schimmig figuur. Zo duikt hij op en zo is hij weer vertrokken. Niet dat hij onder een brug slaapt of zo. Integendeel, zelfs!' Rob lacht.

'En dat zou jouw vader zijn? Wat een raar idee.'

'Ik weet ook niet hoe ik hiermee verder moet,' bekent Rob.

'Nee, dat snap ik. Dit is echt een raar verhaal,' bevestigt Sanne. Onderwijl juicht ze inwendig. Dank je wel, onbekende vader van Rob! Eindelijk hebben we het weer eens ergens over!

'Als ze hem vinden, sluiten ze hem dan op? Wordt hij ergens van beschuldigd?' vraagt ze.

'Dat denk ik wel. Maar het is heel wat ingewikkelder dan fietsendiefstal. Misschien willen ze alleen weten waar hij is, tot ze alle bewijzen op een rijtje hebben. Zo'n man heeft natuurlijk ook een advocaat die van wanten weet. Wat dat betreft kun je beter maar megavergrijpen op je kerfstok hebben, want dan heb je meer kans dat je vrij rond kunt lopen dan wanneer je een blikje bier steelt. Denk maar aan die zaken als aandelenhandel met voorkennis. Vrijwel nooit te bewijzen, zoiets.'

'En vertellen ze het ook aan jou, als hij vastgezet wordt?'

'Ze hebben me beloofd te doen wat ze kunnen. Maar misschien mogen ze het helemaal niet vertellen. Nou ja, als hij echt gearresteerd wordt, krijgen we op de krant wel een ANP-bericht binnen,' zegt Rob laconiek.

'En wat ga jij dan doen?' vraagt Sanne.

'Dan zoek ik hem op,' besluit Rob.

'Mag ik dan mee?'

'Natuurlijk.'

'Ik ben nog nooit in een gevangenis geweest. Zelfs niet op bezoek. Alleen tijdens een potje monopoly,' verheugt Sanne zich.

'Lelijke sensatiezoeker dat je bent,' plaagt Rob.

Vanaf dat moment lijkt alles weer als vanouds. We hebben het oude gevoel weer terug, bedenkt Sanne. Ook al blijft er bij haar iets knagen over haar malle achtervolging en het feit dat ze daar nooit goed over gesproken hebben.

Als ze op de afgesproken avond bij Cathy en Willem arriveren voor het etentje, staat de tafel al feestelijk gedekt. En bij het voorafje, een carpaccio van tonijn, zegt Cathy: 'Zo gezellig, dat jullie hier zijn. Maar jullie moeten me toch even vertellen waarom jullie eerst zo raar reageerden. Was er toen iets mis? Was er ruzie?' Rob neemt een hap en daarom kijkt Cathy verwachtingsvol naar Sanne.

'Ik moet dat toch weten? Als jullie zus? En schoonzus?' dringt Cathy aan.

'Daar wil ik helemaal niet over praten. Heb je trouwens een nieuwe lamp?' vraagt Sanne.

'Die hebben we al een paar weken. Maar draai er nu niet omheen. Ik vind echt dat Wim en ik jullie mogen vragen naar persoonlijke problemen. Hè, Wim?' dringt Cathy aan. Wim reageert helemaal niet op haar vraag en lijkt net als Rob totaal verdiept in zijn eten.

'Heerlijk is dit,' prijst hij.

'Ja. Heel lekker,' bevestigt Rob.

'Nou ja!' Cathy's ogen schieten vuur. 'Jullie steken gewoon de draak met me! Eerst jij over die lamp en nu jullie over het eten. Ik vraag gewoon iets. Daar mag ik toch wel antwoord op hebben?'

Rob pakt zijn servet, veegt vol aandacht zijn mond af, vouwt het servet zorgvuldig op, legt het netjes naast zijn bord, schraapt zijn keel en zegt: 'Nee. Dat mag je niet. Dat is uiterst privé en wij vinden dat je daar niets, maar dan ook niets mee te maken hebt. Ik hoop dan ook dat je stopt met dit vervelende gedoe, want ik ben nu halverwege het voorgerecht en ik moet je eerlijk zeggen dat de eetlust me nu al vergaat. Dus je kunt kiezen: je houdt er onmiddellijk over op en we hebben nog een min of meer genoeglijke avond met zijn vieren of je blijft mokken en in dat laatste geval pak ik nu liever meteen mijn jas en dan ga ik naar huis. Dus, zeg het maar.'

Sanne voelt hoe haar hartslag versnelt van de zenuwen om zijn afgemeten toon en zijn houding. Ze ziet hoe Cathy tijdens de korte speech van Rob verbleekt en zenuwachtig met haar vork op haar bordje knoeit.

'Ik wilde alleen maar...' begint ze, maar Rob onderbreekt haar: 'Ik hoop dat ik duidelijk genoeg was. Geen woord meer.'

'Je was heel duidelijk, zwager,' knikt Willem. 'Vertel eens, hoe is het op je werk?'

'Ja, enorm druk. En onderbezet. Maar dat is geloof ik op iedere werkplek zo, tegenwoordig. Bij jullie hebben ze de boel ook weer gereorganiseerd, hè?' vraagt Rob.

'Jongen, hou maar op. En al die lui die omhoog zijn gevallen bij gebrek aan gewicht blijven lekker zitten. Terwijl je daar zou moeten snoeien. Het is een schandaal.'

'Vertel eens?' vraagt Rob nieuwsgierig. Willem vertelt over de onderbezette werkvloer en de overbezetting in het management waar directeuren zitten van wie niemand weet wat ze eigenlijk precies uitvoeren.

'Weet je wat zo gek is? Als er een griepgolf heerst, wordt de hele productie bedreigd, maar wanneer alle directeuren tegelijk op vakantie zijn, merkt niemand daar iets van.'

'Gebeurt dat wel eens?'

'Joh, in de kerstperiode was de hele top op wintersport. Op één na, die zat ziek thuis. Niks van gemerkt,' lacht Willem.

'Er is een theorie die beweert dat mensen net zo lang promoveren tot ze op een plek zitten waar ze eigenlijk niet geschikt voor zijn. En omdat promoties zelden teruggedraaid worden, bestaan de meeste directies uit incapabele mensen. Grappige theorie. Misschien wel waar ook,' lacht Rob terug. Cathy heeft zwijgend verder gegeten en mompelt: 'Even naar de keuken. Voor het hoofdgerecht.'

'Dit was fantastisch,' prijst Rob. Sanne en Willem knikken ter bevestiging en er verschijnt een aarzelende glimlach op Cathy's gezicht.

'Zal ik je helpen?' biedt Sanne aan. Maar dat is niet nodig en Sanne begrijpt dat Cathy de tijd in de keuken even nodig heeft om tot zichzelf te komen. Rob kan af en toe zo vreselijk direct zijn mening naar voren brengen, dat het lastig is om je positie te bepalen. Aan de andere kant weet je wel meteen waar je met hem aan toe bent, bedenkt ze. Maar tact, ter wille van familie of vriendschap, daar is Rob geen type voor. Toch wordt het een gezellige avond, maar voor Sanne blijft er de hele avond een sluier van herinnering aan het akelige incident overheen hangen en ook Cathy is niet haar onbezonnen en tactloze zelf. Bij alles wat ze vraagt of zegt bemerkt Sanne een aarzeling. En ook al is het wel makkelijk dat ze niet hoeft te slikken tijdens een opmerking van haar zus, toch voelt deze gedwongen verandering van Cathy als onnatuurlijk. Rob had het best anders kunnen zeggen, vindt ze. Dat zegt ze dan ook, hardop, als ze samen in de auto op weg zijn naar huis.

'Natuurlijk had ik het anders kunnen zeggen. Maar dan zouden we er nog een uur op aangesproken zijn geweest. Ik wens geen verantwoording af te leggen aan jouw zuster, nu niet en nooit. Dat is haar meteen duidelijk geworden. Bovendien, Willem scheen er niet onder te lijden.'

'Nee. Maar Cathy wel. Ze is tactloos, maar ze meent het goed. Dan hoef je haar toch niet zo af te bekken?'

'Als je zwager dat veel eerder had gedaan, was het nu niet zo'n enorme zeurkous geworden. Ze weet nu precies hoever ze met mij kan gaan. Daar heeft ze bij jou en bij haar man geen enkel idee van,' zegt Rob op dezelfde toon van eerder die avond. De toon die duidelijk moet maken dat hiermee voldoende over het onderwerp gezegd is. Sanne steigert.

'Je had het ook vriendelijk kunnen zeggen. Het enige dat je bereikt hebt, is dat ze zich de hele avond geremd voelde en bang was te ver te gaan. Ik vond het heel ongemakkelijk.'

'Dat is jammer. Ik vond het heel gezellig.' Hij schakelt terug bij de ingang naar de camping en rijdt langzaam het parkeerterrein op.

'Dan ben jij blijkbaar niet zo gevoelig voor sfeer als ik. Echt gezellig is het niet meer geworden.'

'Dat vind jij,' zegt Rob kalm.

'Ik vind dat je je afsluit voor me. Waarom mag ik nooit over gevoelens beginnen? Waarom vind je dat vervelend?' Sanne heeft haar jas aan de kapstok gehangen en loopt naar de keuken.

'Neem je een biertje voor me mee?' vraagt Rob. Ze pakt een flesje bier uit de koelkast en schenkt voor haarzelf een glas jus d'orange in. Als ze het neerzet op de tafel, kijkt ze Rob verwachtingsvol aan.

'Wat is er?' vraagt hij glimlachend.

'Ik had je een vraag gesteld.'

'Je vult veel te veel antwoorden in als je een vraag stelt. Ik heb geen zin in zo'n gesprek. Goed?' Hij pakt zijn flesje en schenkt in.

'Waarom niet? We kunnen er toch op een normale manier over praten?'

'Kijk, nu doe je het weer. Hoezo, een normale manier? Praat ik dan op een abnormale manier? Sanne, dit heeft niet zoveel zin. Je probeert me bekentenissen en onthullingen te ontlokken, terwijl ik geen geheimen voor je heb. Ik ben zoals ik ben. Zoek niet overal iets achter. Oké, ik heb inderdaad op een tamelijk botte manier je zuster op haar nummer gezet. Maar dat deed ik niet onbewust. Ik erger me aan haar gedram en nu doet ze dat niet meer. Klaar. Uit. Over.' Rob zakt tevreden achterover op de bank en neemt een slok.

'En ik zei dat ik me daar ongemakkelijk bij voelde,' zegt Sanne.

'Dat heb ik gehoord. En voor kennisgeving aangenomen. Want daar kan ik verder niet zoveel mee,' zegt Rob afgemeten.

'Je kunt toch wel rekening houden met hoe ik me daaronder voel?'

'Jawel. Maar niet met terugwerkende kracht. Ik heb geen spijt van mijn uitlatingen en ik zal in de toekomst iets zachter zijn met je zus. Goed?'

Hier komt ze geen stap verder mee, beseft ze. Dit is dus Rob ten voeten uit. Voor hem is dit onderwerp afgedaan en als ze aandringt, klapt hij dicht. Dus haalt ze diep adem en zucht: 'Oké.'

'Kom,' zegt hij, terwijl hij naast zich op de bank klopt, 'Kom lekker zitten dan zappen we nog even op zoek naar het laatste nieuws. Hè, ik ben blij dat we weer lekker thuis zijn. Loop je zo even mee met Hazel?'

'Ja, leuk,' zegt ze. En ze beseft dat ze dit zal moeten accepteren van Rob. De geluksmomenten pakken en niet de illusie koesteren dat ze dit trekje in Robs karakter kan veranderen. Even later lopen ze samen over het door de maan zilverwit verlichte bospad.

'Wat een betoverende nacht,' zegt Rob, terwijl hij zijn arm om haar heen slaat en haar tegen zich aantrekt.

'En wat een rust,' zegt Sanne.

'Ik voel me zo gelukkig,' zegt hij.

'Het is wel prettig dat ik tenminste weet dat je meent wat je zegt,' merkt Sanne op en Rob lacht voluit.

'Als je dat maar onthoudt,' grijnst hij.

Een week later belt Cathy op.

'Sanne, ben jij wel gelukkig met Rob?' vraagt ze meteen.

'Ja, natuurlijk ben ik gelukkig met Rob!'

'Ik zit maar zo te piekeren. Wim zegt ook dat ik me niet zo druk moet maken en dat het wel goed zit met jullie, maar toch... Hij heeft me echt gekwetst, weet je dat?'

Praat door, denkt Sanne in stilte. Dat gebeurt echter niet. Cathy wacht op haar reactie.

'Ja, dat snap ik best,' zegt Sanne, zonder een poging te doen om Rob te excuseren.

'Dus jij vindt het ook?'

'Wat vind ik ook?' vraagt Sanne voorzichtig.

'Dat hij buiten zijn boekje is gegaan? En dat hij eigenlijk zijn excuses moet aanbieden?'

'Och hemel, Cathy. Ik vond dat hij zijn mening wat voorzichtiger naar voren had kunnen brengen. Maar dat doet hij nooit. Dus nu ook niet. Hij is anders dan ik en anders dan Willem. Wij zijn wat tactvoller,' probeert Sanne uit te leggen.

'Maar jij hebt er wel met hem over gepraat?'

'Ja. Kort. Hij meent wat hij zegt en daar wil hij verder niet op ingaan. Dus dan ben je snel uitgepraat.'

'Dat is toch wel erg. Ik vind dat heel erg. Vooral voor jou,' zegt Cathy.

'Er is best mee te leven,' lacht Sanne.

'Nou ja, je zult wel een hoop moeten slikken,' vindt Cathy.

'Nee, dat is niet zo. Maar ik vind het af en toe moeilijk dat hij er niet verder over wil praten. Dat hij weigert om er dieper op in te gaan om te zien waarom je op een bepaald moment zo'n benadering kiest. En wat je anders had kunnen doen,' bekent Sanne.

'Ja, dat is zeker jammer. Ik heb laatst weer een heel uitgebreide test gedaan op een website van een psychologisch genootschap. Daaruit bleek dat ik van nature een talent heb om met mensen om te gaan. Zo goed is dat. Ik scoorde enorm op het gebied van tact en inzicht in menselijk gevoel. Daarom is het ook zo jammer dat Rob meteen alles afkapte.' Sanne onderdrukt een lachkriebel. Als Rob van die test had geweten, was hij nog botter geweest, bedenkt ze.

'Dus als je ooit je hart eens wilt uitstorten, dan ben ik er voor je, hoor,' vervolgt Cathy.

'Dat vind ik heel lief. Maar je moet absoluut niet piekeren, want ik ben heel gelukkig,' antwoordt Sanne.

Diezelfde avond staat Schaapje onverwacht op de stoep.

'Ik moest meteen naar je toe. Er is iets helemaal mis,' zegt ze direct, terwijl ze haar omslagdoek over een stoel hangt.

'Iets mis? Waarmee?'

'Met wie,' verbetert Schaap. 'Met Rob. Waar is hij?'

'Hij is nog niet thuis,' schrikt Sanne.

'We wachten op hem,' beslist Schaap. 'De theebladeren zijn nog nooit in mijn hele leven zo duidelijk geweest.'

'Dus er is niets ergs?' vraagt Sanne, al gerustgesteld door het feit dat Schaapje besluit op de thuiskomst van Rob te wachten.

'Heel verontrustend, heel verontrustend,' mompelt Schaap, terwijl ze aan tafel gaat zitten.

'Ik schrok van u. Het leek wel of Rob een ongeluk had gekregen of zo,' zegt Sanne. 'Koffie?' Maar Schaapje wil niets hebben. Ze staat op en drentelt heen en weer tot Sanne zegt: 'Ga nu toch eens zitten, Schaapje. Dit werkt zo op mijn zenuwen. O, daar is Rob!' Ze gaat snel naar de deur en begroet hem met twee armen wijd, waar hij meteen lachend induikt.

'Ik ben blij dat je er bent,' zegt ze.

'Ik ben blij dat je blij bent,' fluistert hij. En meteen over haar schouder: 'Dag, juffrouw Schaap. Bent u er ook?'

'Jij hebt nieuws,' zegt Schaap.

'Ja, inderdaad,' zegt Rob verrast. Hij loopt naar binnen, trekt zijn jas uit en wrijft zijn handen warm. 'Groot nieuws. Heb je koffie?'

'Ik zet meteen. Nu wilt u toch ook wel?'

'Ja, toe maar,' knikt Schaap. Ze staart naar Rob alsof ze het nieuws van zijn gezicht kan lezen.

'Alarmerend nieuws,' zegt ze.

'Niet alarmerend. Wel bijzonder. Maar ik wacht even tot we zitten, hoor. Hebt u in de krant ook gelezen van die sneeuwstorm? Het weer is wereldwijd behoorlijk van slag, hè?' vraagt Rob.

'Ach, dat was het natuurlijk in de ijstijd ook. Alleen hadden we destijds niet zo'n informatiesysteem,' zegt Schaap nuchter. Rob lacht.

'U blijft aan de ene kant met uw benen op de grond en aan de andere kant staat u open voor zoveel mystieke zaken. Wonderlijk mens bent u toch.'

'Ik weet wat ik weet,' meldt Schaap.

'Dat blijkt,' grijnst Rob. 'Maar nu hebt u het mis. Ik kreeg vandaag een telefoontje.'

Sanne zet de kopjes op tafel, gaat zitten en kijkt hem vragend aan.

'Henk Takken, mijn vermeende vader, is in hechtenis genomen. Zo formuleerde de rechercheur het die mij tipte. Ze hebben het ook steeds over plaats delict, in plaats van de plek van het misdrijf. En dan komen ze altijd ter plaatse. Grappig, zo'n eigen taaltje. Ik kan daar zo vrolijk van worden,' begint Rob.

'Ga nu geen taalkundig verhaal ophangen,' maant Sanne. 'Vertel!'

'Ja, het ligt een beetje lastig. Hij blijkt vastgezet te zijn, maar het onderzoek loopt nog. Ze schijnen bang te zijn geweest dat hij er vandoor zou gaan. Dus nu zit mijn vermoedelijke pa achter slot en grendel. Dus kan ik hem opzoeken. Tenminste, dat dacht ik,' vertelt Rob.

'Kan dat dan niet?'

'Beter van niet,' schudt Schaap haar hoofd.

Rob negeert haar en vervolgt: 'Nee. Alleen familie mag op bezoek. Maar omdat ik geen bewezen familielid ben, moet ik bij de directeur van de gevangenis een schriftelijk verzoek indienen. En het ligt nog lastiger, want Henk Takken mag even niemand op bezoek hebben. Alleen zijn advocaat is welkom.'

'Mooi,' mompelt Schaap.

'Je kunt hem natuurlijk wel schrijven. Dan kan de directeur altijd besluiten of hij de brief doorgeeft of niet. Toch?' oppert Sanne.

'Dat ga ik ook doen. Maar het blijft tricky. Ik kan moeilijk ontkennen dat ik naast zijn vermoedelijk zoon ook nog eens journalist ben. En die zien ze in dit geval helemaal liever gaan dan komen.'

Schaap haalt bij deze mededeling opgelucht adem. 'Dat is goed nieuws. Jouw hereniging met je vader is op alle fronten onheilspellend. Ik heb daar een akelig gevoel over.' Rob glimlacht.

'Het is dat ik in de loop van de tijd bewondering heb gekregen voor uw gaven, anders verklaarde ik u nu voor gek,' grijnst hij. 'Misschien waarschuwen de sterren altijd wel voor contact met iemand die verdacht wordt van crimineel gedrag?'

'Geen sterren. Theebladeren,' verbetert Schaap.

'O, neem me niet kwalijk. Dat ligt natuurlijk heel anders.'

'Ja, spot er maar mee. Dit is van een andere orde. Dit contact kan je leven volledig op zijn kop zetten. Daar ben ik van overtuigd,' zegt Schaap bits. Ze staat op, wijst met een trillende vinger in zijn richting en zegt: 'Je bent gewaarschuwd. Ook voor

Sanne is dit niet goed. Je brengt anderen in gevaar. Zet het hele verhaal uit je hoofd en vergeet die man.' Ze loopt naar de deur en als Sanne roept: 'Schaapje, u hebt uw koffie nog niet eens op,' keert ze zich nog éénmaal om en herhaalt: 'Wees gewaarschuwd. De voortekenen waren duidelijk. Dus ik ben dat ook. Kijk uit.' Ze stapt naar buiten en kijkt niet meer om.

'Ze is helemaal overstuur,' zegt Sanne verwonderd.

'Het is een raar mens. En ook al heeft ze af en toe griezelige gaven, dit keer gaat ze ver buiten haar boekje. Ik bepaal natuurlijk altijd zelf nog wat ik doe,' zegt Rob dwars.

'Het is een lieverd. Oké, een rare lieverd, maar haar hart is van puur goud. Ze bedoelt het altijd heel goed,' werpt Sanne tegen.

'Dat weet ik, schat. Als mijn contact met Henk Takken, ofwel Schieringer, verkeerd uitvalt, dan ben ik mans genoeg om ermee te kappen. Maar dat doe ik op andere gronden dan een voorspelling uit natte theebladeren.' Daar moet Sanne ook om glimlachen.

'Het schijnt trouwens dat zijn arrestatie voortvloeide uit de arrestatie van die terreurgroep, waar jij laatst ook bij aanwezig was,' plaagt hij.

'Daar zouden we het niet meer over hebben,' plaagt Sanne terug. Op dat moment stapt Wichard binnen. Hij ziet wit, ziet Sanne in één oogopslag.

'Suzanne heeft het uitgemaakt,' zegt hij verdrietig.

Achter Wichard aan stapt Claire de kamer binnen. Sanne houdt even haar adem in bij het zien van Suzannes zusje waar Wichard een tijd lang verliefd op dacht te zijn. Maar Claire zegt meteen: 'Ja, erg hè? Die sufferd. Ze geeft Wichard en Rinke zomaar op. Terwijl ze dol op hen is.'

Rob reageert verbaasd.

'Uitgemaakt? Suzanne? Daar heeft Schaapje niks over voorspeld.'

'Rob,' zegt Sanne geprikkeld.

'Ik ben er beroerd van. En Suus ook,' zegt Wichard. 'Claire heeft nog op haar ingepraat, maar Suzanne kan niet tegen de wil van haar ouders ingaan. Ze is er echt ziek van. Ze heeft zo gehuild aan de telefoon.'

'Ik ga straks meteen naar haar toe. Als pa tenminste niet thuis is. Misschien heeft hij vanavond kerkenraadsvergadering. Mam laat me wel binnen,' zegt Claire.

'Ga even zitten. Eten jullie mee?' nodigt Sanne uit. Maar Wichard schudt zijn hoofd.

'Ik wilde jullie gewoon even zien. Dat is alles. Ik ga weer aan de slag. Jullie weten het nu in ieder geval.'

'Lieverd, ik vind het beroerd. Maar ik kan echt niets bedenken om hier iets aan te doen. Suzanne maakt de keus zelf. Daar zullen we ons bij moeten neerleggen,' zegt ze tegen Wichard.

'Jij hebt al je best gedaan door met pa en ma te gaan praten,' vindt Claire. 'Mijn moeder vond je hartstikke lief. Maar ze zitten in zo'n keurslijf. Voor Suzanne is dit echt een drama. En geloof me, ik weet hoe moeilijk het is om uit zo'n streng milieu los te breken. Dan sta je er wel alleen voor. Dat moet je ook maar kunnen opbrengen,' zegt Claire nog.

Wichard zucht eens diep. 'Suzanne had dan tenminste Rinke en mij nog gehad,' zegt hij moedeloos.

'Ja, het is echt beroerd. En gelukkig wordt ze niet van haar keus. Dat weet ik nu al,' zegt Claire.

'Mag jij het huis niet meer in?' vraagt Rob aan Claire. Die schudt haar hoofd.

'Pa wil me niet meer zien. Ik ontmoet heel af en toe mijn moeder. Stiekem. Maar die krijgt dan altijd een vreselijke huilbui en gezellig wordt het zo nooit. Het blijft tobben.'

'Kind, wat verdrietig,' zegt Sanne. Ze krijgt ineens een heel andere kijk op Claire, die ze aanvankelijk alleen maar egocentrisch vond.

'Nou, dan ga ik maar,' zegt Wichard. Hij klinkt moe en verdrietig.

'Ik loop met je mee,' zegt Claire. En tegen Sanne: 'Ik zorg wel dat hij wat te eten neemt in de kantine voor ik wegga.' Sanne knikt haar dankbaar toe. Wichard ziet eruit alsof hij ieder moment kan instorten.

'Misschien komt het toch nog goed,' zegt ze bemoedigend. Wichard haalt zijn schouders op.

'Ik kan er niets aan doen, nu. Als ik op haar in blijf praten, wordt ze nog ongelukkiger dan ze al is. Dat wil ik niet, mam.'

'Stelletje sufferds,' moppert Rob, als ze weg zijn.

'Ik kan er wel een beetje inkomen,' vindt Sanne. Ze pakt de uien voor de spaghettisaus en legt ze op de snijplank.

'Ik niet. Iedereen is verantwoordelijk voor zijn eigen geluk. Dat vind ik. En als je je geluk zomaar weggooit, ben je een eersteklas idioot. Kan ik wat voor je doen?'

'Ja, als jij de sla maakt?' Ze staan naast elkaar, Rob mixt een dressing en snijdt komkommer en tomaten aan stukjes.

'Wat zou jij doen? Als je Wichard was?' vraagt Sanne, terwijl ze het gehakt in de pan gooit.

'Suzanne achtervolgen. Brieven schrijven. Bloemen sturen. Mailen. Bellen. Weet ik het. Van alles,' moppert Rob.

'Knoflook?'

'Ja. Ik heb morgenochtend een redactievergadering. Doe maar veel knoflook,' grijnst Rob.

'Denk je dat dat helpt? Die handleiding van jou?' vraagt Sanne.

'Geen idee. Maar dan heb je tenminste alles gedaan wat in je macht ligt. Ik zou ook naar die ouders gaan en ze vertellen wat ik vind. Zijn die nou helemaal gek. Wat een star gedoe. Alsof liefde niet het belangrijkste is op de hele wereld,' bromt hij. Onderwijl slaat hij een arm om Sanne heen en kust haar zachtjes in haar hals.

'Misschien bereikt Claire iets,' zegt Sanne hoopvol.

'Er moet toch iets recalcitrants in die mensen zitten. Waar heeft Claire dat anders vandaan. Er zit toch wat opstandigs in die genen... De zussen hebben ook geen kerkelijke namen,' bedenkt Rob.

'Rood wijntje erbij?'

'Heerlijk,' zegt Rob.

Na het eten kondigt hij aan: 'Ik loop even langs Wichard. Dan neem ik Hazel meteen mee. Ik ga hem vertellen dat hij actie moet ondernemen. Vind je ook niet?'

'Het kan sowieso geen kwaad als hij er op een positieve manier mee omgaat,' zegt Sanne. 'Alles is beter dan de situatie maar apathisch accepteren.'

'Dat vind ik nou ook,' zegt Rob. Hij trekt zijn jas aan en vertrekt, Hazel loopt kwispelend achter hem aan.

Rob blijft lang weg en Sanne plant in haar agenda een weekend om naar België te gaan. Kijken wat Rob ervan zegt, neemt ze zich voor. Misschien kan hij wel een vrijdag en een maandag vrij nemen. Dan kunnen ze lekker een lang weekend genieten van hun vakantiehuis. Nu is het nog rustig op de camping; ze kan makkelijk gemist worden. Ze noteert twee weekeinden en ruimt de tafel af. Als alles al in de vaatwasser staat, komt Rob terug.

'Goed idee,' zegt hij meteen als ze haar plannen vertelt.

'Ik zal op mijn werk vragen wanneer het uitkomt. Maar eerst ga ik een verzoek opstellen om mijn vader te mogen bezoeken. Zeg maar niks tegen Schaapje.'

Een week later heeft Rob de bevestiging van ontvangst binnen van zijn verzoek om zijn vermoedelijke vader te mogen bezoeken. Hij wappert er triomfantelijk mee naar Sanne.

'Ik heb voor ons allebei belet gevraagd. Dat leek me goed overkomen. Zo in de sfeer van 'mijn echtgenote en ik'. Ja, li`everd, door jou maak ik een heel goede indruk. Jij hebt toch zeker ook geen strafblad hè? Zouden ze dat nu aan het screenen zijn?' Hij ratelt door en Sanne laat hem maar gaan. Tot hij zegt: 'Je zit toch niet aan de onheilsprofetieën van Schaapje te denken?'

'Een beetje wel,' geeft Sanne toe.

'Nou ja, voorlopig heb ik alleen de bevestiging dat die brief ergens op een bureau beland is. Het zal toch wel even duren voor we toegang krijgen. Als we al naar hem toe mogen.'

Wichard is hard aan het werk en als Sanne hem af en toe tegenkomt op de camping, heeft hij nauwelijks tijd voor een praatje. 'Nog nieuws van Suzanne?'

'Niks.' Verder komt het gesprek meestal niet, want dan zegt hij gehaast: 'Maar ik moet verder hoor, mam.' En dan volgt er een taak die hij zich voor die dag heeft voorgenomen.

Op een dag besluit Sanne naar de stad te gaan om eens uitgebreid te winkelen.

'Wandelschoenen, want in de oude lijkt mijn grote teen bijna dwars door de zool heen te piepen. Ik wil ook een broek met afritsbare pijpen, voor de zomer. En verder natuurlijk alles wat in de aanbieding is en te leuk om te laten liggen,' vertelt ze Rob.

'Dan gaan we samen lunchen tussen de middag. We spreken af in dat eethuis bij de gracht,' belooft hij.

Terwijl ze die ochtend nog eerder dan Rob wegrijdt van de camping, valt haar een smerige auto op, die geparkeerd staat langs de weg naar de camping. Als ze langsrijdt, ziet ze drie mannen, die de andere kant opkijken als ze hen bekijkt.

Wat doet die auto hier? vraagt ze zich af. Die mannen zagen er niet uit als mogelijke campinggasten en bovendien, dan waren ze wel het parkeerterrein opgereden. Ineens overvalt haar een onrustig voorgevoel. Zouden dat mensen zijn die te maken hebben met de arrestatie in het pand dat Rob mocht mee-observeren van de politie? Zou dit het onheil zijn dat Schaapje zag naderen? Wachten die mannen op Rob? In een opwelling parkeert ze haar auto op het terreintje van de pizzeria in het dorp. Ze weet zeker dat Rob daar langskomt en als ze hem laat passeren, kan ze zien of hij zonder gedoe langs die auto is gekomen. Zenuwachtig zet ze haar auto zo neer, dat ze goed zicht heeft op de dorpsstraat. Als Rob dit wist, zou hij onmiddellijk denken dat ik hem weer aan het schaduwen ben, beseft ze. Waarom doe ik ook van die achterlijke dingen? En het duurt lang, voordat ze eindelijk een auto langs ziet komen op de rustige weg. Dat is niet de auto van Rob, dus ze verbijt zich en wacht. Dan, eindelijk, rijdt Rob langs. Mooi, die is dus gewoon langs de auto gereden. Zie je wel, je haalt je alleen maar malligheid in je hoofd. Ze moppert half hardop tegen zichzelf, start de auto en trekt voorzichtig op. Dan staat ze boven op haar rem. Want daar, over de verlaten weg, rijdt de smerige auto met de drie mannen achter Rob aan. Die achtervolgen hem! Ze weet het zeker. Erachteraan. Dat is het enige wat ze kan bedenken. En hoewel Sanne geen flauw idee heeft wat er eventueel zou kunnen gebeuren, toch zet ze de achtervolging in, langzaam, om de afstand te vergroten. Als er op een gegeven moment een auto achter haar rijdt die haar tempo niet zo kan waarderen, stuurt ze naar de kant. De auto passeert haar en ze trekt weer op, dankbaar voor de extra auto die haar aan het zicht onttrekt. Hoewel ze Robs auto niet kan zien, weet ze toch zeker dat de auto van de drie mannen achter hem aanrijdt; ze volgen exact dezelfde route als Rob moet rijden naar zijn werk. Zouden ze checken of hij inderdaad de verslaggever is die hen samen met de politie zo lang heeft afgeluisterd en gadegeslagen? Als ze het al zijn, natuurlijk. Die groep zit toch nog steeds vast? Je haalt je van alles in je hoofd en je hebt geen idee of het klopt. Ja, maar als er een aantal vast zit, dan is het toch heel goed denkbaar dat er nog leden van zo'n beweging los rondlopen? Je leest tegenwoordig over cellen; vertakkingen van internationale organisaties die allemaal in kleine groepjes werken, maar toch contact hebben met elkaar.

De rit duurt lang en als ze vlak bij het gebouw van de redactie zijn, ziet Sanne hoe de auto een zijstraat inrijdt. Ze rijdt zelf langzaam langs het parkeerterrein van de krant en ziet meteen dat Rob zijn auto heeft geparkeerd op zijn vaste plekje. Dus besluit ze om te draaien om te zien waar die mannen zijn gebleven. Ze is druk bezig haar auto te keren, als ze schrikt. Daar lopen ze! Ze ziet drie mannen de straat inkomen. Ze hebben donkere jassen aan en zwarte gebreide mutsen. Ze lopen met hun handen in hun zakken, zwijgend en om zich heen kijkend. Die zoeken Rob, weet Sanne. Ze keert de auto en rijdt rustig weg, in de hoop dat ze geen aandacht op zich vestigt. Zouden ze wapens bij zich hebben? Als ze me nu herkennen? Het zweet staat in haar handen als ze ogenschijnlijk rustig doorrijdt.

Als ze in haar achteruitkijkspiegel durft te kijken, ziet Sanne dat de drie mannen totaal niet op haar letten. Ze lopen langs het parkeerterrein, keren plotseling om en lopen terug. Ze hebben me gelukkig niet herkend, bedenkt ze opgelucht. Ze draait snel een zijstraat in en keert haar auto opnieuw. Dan rijdt ze terug naar de hoek en stopt. Ze ziet dat de mannen al bijna bij de zijstraat zijn, waar ze vermoedelijk hun auto hebben geparkeerd. Ze hebben dus gekeken of Robs auto op het parkeerterrein stond, beseft ze. Ze hebben hem inderdaad gevolgd. Ze wacht nog zeker tien minuten en ziet dan de vieze auto langsrijden. Als ze ziet dat de man achter het stuur zijn hoofd in haar richting draait, duikt ze naar de stoel naast zich, alsof ze iets moet pakken. Als ze weer omhoogkomt, ziet ze de auto in de verte wegrijden.

En nu? Naar Rob? Die verklaart me voor gek. Aan de andere kant, stel je voor dat er iets met hem gebeurt. Hij moet het weten. Ik vergeef het mezelf nooit als ik nu niets zeg en er straks iets vreselijks gebeurt. En Rob moet de politie bellen. Natuurlijk! Die moeten ook op de hoogte worden gebracht.

Sanne parkeert haar auto op een bezoekersplek bij het dagbladconcern en stapt resoluut naar de ingang. Bij de balie meldt ze zich.

'Ik wil Rob de Wolf spreken, van de stadsredactie. Ik ben zijn vrouw. Het is dringend,' zegt ze tegen de receptioniste.

'Ogenblikje, mevrouw.' Er gaat een telefoontje naar boven en Sanne hoort de vrouw zeggen: 'Nee, niet aan de telefoon. Hier. Aan de balie. Ja. Dat weet ik natuurlijk niet. Oké. Zal ik haar naar boven laten? Goed.' Ze hangt op en zegt tegen Sanne: 'Uw man was nogal verbaasd over uw verschijning. Maar u mag naar boven. Als u die trap opgaat, ziet u een hoekje met stoeltjes. Als u daar even plaatsneemt, komt meneer De Wolf u ophalen.'

'Dank u,' knikt Sanne. Ze zit nog maar net, als Rob al door een glazen deur komt en haar verbaasd begroet met: 'Wat doe jij nou hier? Er is toch niets gebeurd?'

'Nee, niet direct, maar ik moet je wat vertellen. Heb jij die auto gezien, die op de weg naar de camping stond? Met die drie kerels erin?'

'Eén man zat erin. Mocht wel eens door de wasstraat, die auto. Ja, die heb ik gezien,' knikt Rob.

'Nee, er zaten drie mannen in. Ik vertrouwde het niet en ik ben ze gevolgd. En het was zo gek, maar zij volgden jou! Ze zijn nog langs de parkeerplaats gelopen om te zien of jouw auto hier inderdaad stond. Of misschien wilden ze jou wel te pakken nemen.'

Rob bekijkt me alsof ik rechtstreeks uit een inrichting ben ontsnapt, bedenkt Sanne.

'Wat haal jij je nou allemaal in je hoofd?' vraagt hij stomverbaasd.

'Ik haal me niks in mijn hoofd. Ik heb het gezien! Ze hebben hun auto in een zijstraat geparkeerd en zijn langs het parkeerterrein gelopen. Daarna keerden ze om en even later zag ik ze wegrijden. Ze hebben mij niet gezien. Het is echt waar, Rob. Ik ben heus niet paranoia of zo, maar ik kreeg een akelig voorgevoel toen ik ze zag staan. Dus daarom ben ik achter ze aan gegaan. Ze zijn je echt gevolgd. En ik vind het doodeng,' zegt

Sanne. Opeens voelt ze hoe haar handen beginnen te trillen. Ze krijgt tranen in haar ogen en zegt: 'Ik bibber.'

'Ik haal koffie voor je,' zegt Rob. 'Rustig maar.' Hij loopt naar een automaat in de hoek en tapt twee bekertjes koffie, terwijl hij bezorgd naar Sanne kijkt.

'Gaat het weer?' vraagt hij, als ze een slokje heeft genomen. Ze knikt.

'Ik zag maar één man,' zegt Rob aarzelend.

'Dan zijn die anderen weggedoken,' antwoordt Sanne.

'Het is een raar verhaal. Ik denk dat er toch iets aan de hand is.'

'Nou en of er iets aan de hand is. Dit klopt van geen kant. Je moet echt de politie bellen,' dringt Sanne aan.

'Ik haal even een kladblok,' zegt hij. 'Dan schrijven we het van a tot z op. Dat is meteen handig voor de politie.' Hij verdwijnt door de glazen deur en Sanne drinkt van haar koffie. Als hij terug is, gaat hij tegenover haar zitten en zegt: 'Nu van het begin af aan. Vertel.'

Sanne begint. Af en toe onderbreekt hij haar met een gerichte vraag, maar voor het grootste deel laat hij Sanne rustig de hele geschiedenis vertellen.

'Het is een waanzinnig verhaal,' verzucht hij, als ze aangekomen is bij het deel dat ze de vieze auto de straat uit zag rijden. Hij legt zijn kladblok op tafel en kijkt haar ernstig aan.

'Ik word nu weer een beetje rustig,' merkt Sanne tot haar opluchting op.

'Ik denk dat ik inderdaad meteen ga bellen.' Hij pakt het kladblok weer van tafel en vraagt: 'Dan nu het belangrijkste; kun je een signalement geven van de drie mannen?' Sanne beschrijft ze zo nauwkeurig mogelijk, maar ze weten allebei al dat de beschrijving heel vaag is. Donkere kleding, zwarte mutsen, Sannes observatie levert weinig nieuws op.

'Heb je helemaal geen bijzonderheden gezien?' vraagt Rob. Sanne schudt haar hoofd.

'Dat is jammer,' zegt Rob berustend. 'En de auto? Wat voor merk? Kleur? Nummerbord?' Sanne kijkt hem ontsteld aan.

'Een vage kleur. Groenig? Lichtblauw? Ik heb geen idee,' zegt ze.
'O, Sanne,' kreunt Rob.

'Dus toen heeft Rob de politie maar niet gebeld?' vraagt Yvonne. Ze zitten samen in de stad te lunchen en Yvonne hangt aan haar lippen als ze het verhaal van de achtervolging vertelt. Sanne schudt haar hoofd.
'Het had geen zin. Ik had totaal geen gegevens. Alleen een ontzettend vaag signalement.'
'Sjonge,' zegt Yvonne. Ze kijkt onwillekeurig naar buiten en Sanne grijnst mismoedig.
'Dat doe ik sindsdien ook de hele dag. Ik word hartstikke gek van mijn achtervolgingswaanzin. Overal zie ik groepjes mannen die lijken op de kerels in die auto. Ik ben diezelfde dag nog een halfuurtje de stad in geweest, maar ik heb het algauw opgegeven. Ik durfde niet eens een pashokje in, omdat ik dan geen overzicht meer had op wie er allemaal de winkel inkwam.'
'Dat is wel erg,' zegt Yvonne. 'Hoe moet dat nu verder?'
'Ik heb sindsdien geen verdacht persoon of verdachte auto meer gezien. Dus ik moet maar vergeten wat er is gebeurd. Het zal ook wel niets geweest zijn,' zegt Sanne laconiek. 'Stom toeval, misschien.'
'Maar dat geloof je eigenlijk zelf niet,' concludeert Yvonne.
'Nee. Ik weet verrekte goed wat ik heb gezien,' antwoordt Sanne.
'Kan ik u nog bijschenken?' vraagt de ober bij hun tafeltje. Hij houdt uitnodigend de pot koffie op voor het gratis tweede kopje.
'Graag,' zegt Sanne. Ze schrok even van de man die zo geruisloos naast hun tafeltje was gaan staan en voelt hoe haar handen op slag klam worden.

'Ik blijf schrikkerig,' fluistert ze tegen Yvonne.

'Je moet toch naar de politie. Ook al weet je niet veel. Dit is toch geen leven?' oppert Yvonne.

'Rob vindt het onzin. En we hebben de afgelopen tijd ook niets meer gezien,' zegt Sanne.

'Laat je 's avonds Hazel nog wel eens uit?' Yvonne kijkt haar indringend aan en Sanne schudt haar hoofd.

'Sterker nog, ik maak overdag ook geen lange wandelingen meer. Ik blijf maar opletten of ik niets verdachts zie. Het is echt heel vervelend.'

'Kind, wat een gedoe.' Yvonne leeft gelukkig totaal met haar mee en Sanne is blij dat ze onbekommerd over haar gevoelens kan praten. Want Rob wuift alles lachend weg. Allemaal onzin, ze moet geen leeuwen en beren op haar weg zien, zich niet aanstellen en gewoon doorleven zoals ze altijd deed. Maar de achtervolging laat haar geen moment met rust.

'Als Rob weg is met Hazel, drentel ik almaar door het huis, hypernerveus tot hij weer terug is. Meestal ga ik maar mee wandelen. Dan kan ik zelf de boel in de gaten houden. Maar daar wordt Rob weer kriegelig van,' vertelt ze.

'Ik wou dat ik je kon helpen,' zegt Yvonne oprecht.

'Dat doe je al. Door gewoon naar me te luisteren,' glimlacht Sanne.

Als ze laat in de middag thuiskomt, zit Rob tot haar verrassing al aan tafel. Hij zwaait triomfantelijk met een brief.

'Het mag!' roept hij meteen. 'Ik heb toestemming en hij wil me zien!'

'Je bent vroeg,' concludeert Sanne. Ze geeft hem een kus en gaat bij hem zitten. Hij schuift de brief naar haar toe.

'Officiële toestemming. Met een heel blad vol bepalingen wat we wel en niet mee mogen nemen. Henk Schieringer, alias Henk Takken, is erg nieuwsgierig naar me. Er zit een briefje van hem bij. Wauw, wat een avontuur.' Hij kijkt haar vol enthousiasme aan.

Sanne leest het korte, formele briefje. Takken meldt inderdaad dat hij erg nieuwsgierig is naar Rob en dat hij hem wil ontvangen. Het is niet aan Rob gericht, maar aan de directeur. Daardoor komt de inhoud heel onpersoonlijk over. Verder zit er een officieel toestemmingsformulier bij om de heer H. Takken te bezoeken, inclusief een datum en een tijdstip. Sanne ziet dat er een uur is uitgetrokken voor het bezoek. De lijst met zaken waar je rekening mee moet houden, is standaard. Ze kijkt het nieuwsgierig door. Een geldig legitimatiebewijs, controle op meegebrachte goederen door middel van een detectiepoortje, alles wat je mee wilt nemen moet je van tevoren melden, niet roken tijdens het bezoek, uiteraard geen drugs en afgezien van een korte begroeting en een kort afscheid is lichamelijk contact niet toegestaan.

'Lees,' wijst Rob grijnzend. 'Jij mag geen doorzichtige kleding aan.' Ze lacht.

'Dat wordt even zoeken in mijn garderobe,' grapt ze.

'Volgende week al. Ga je mee?' vraagt Rob.

'Ik wil er nog even over nadenken,' zegt ze.

'Is dat om Schaapje?'

'Ook. En om die mannen. Ik heb Yvonne vandaag het hele verhaal verteld en ik voel me nog steeds zo opgejaagd. Ik schrik al van een ober die ineens naast mijn tafeltje staat,' biecht ze op.

'Maar daar hebben we het toch over gehad? En dat heeft toch niets met het bezoek aan Takken te maken?' vraagt Rob verbaasd.

'Nee, dat weet ik ook wel. Maar ik weet het alleen met mijn hoofd. Het daalt maar niet in. Ik ben nog steeds nerveus over dat hele gedoe. En als ik dan aan een bezoek aan de gevangenis denk, maakt me dat niet bepaald rustiger.'

'Huis van Bewaring,' zegt Rob.

Sanne haalt haar schouders op. 'Voor mij één pot nat,' zegt ze.

'Wat kan ik er aan doen dat je wat rustiger wordt?' vraagt hij dan serieus.

'Misschien toch maar een melding doen bij de politie. Als ik alleen maar weet dat zij op de hoogte zijn, voel ik me misschien wat zekerder,' zegt ze.

'Dan doe ik dat,' verzekert hij haar. Hij trekt haar op schoot en kust haar in haar nek. 'Als je me belooft dat je meegaat. Beloof je me dat?'

Natuurlijk gaat ze mee naar het Huis van Bewaring. Op de afgesproken dag loopt Rob al vroeg door het huis te ijsberen, nerveus om wat komen gaat. Hij heeft een dag vrij genomen en Sanne beloofd met haar te gaan lunchen als het bezoek achter de rug is.

'We kunnen wel in Artis gaan lunchen. Maken we meteen een wandeling door de tuin. Lijkt je dat leuk? Dan vraag ik of Wichard een dagje voor Hazel zorgt.'

Sanne vindt alles best en Rob brengt de labrador naar Wichard. Ze kijkt voor de zoveelste keer in de spiegel. Hoe zou Takken eruitzien? Wat zou hij aanhebben? Ze kent gedetineerden alleen uit Amerikaanse films en die hebben vaak felgekleurde overalls aan. Zelfs in de rechtszaal. Ze kan zich niet herinneren of ze dat in Nederland ook ooit heeft gezien. Bij processen op televisie droegen verdachten altijd hun eigen kleren, maar misschien waren dat andere vergrijpen. Als Rob terugkomt en meldt: 'Wichard vindt het prima. Hoe laat is het? Zullen we dan maar?' voelt ze hoe haar keel even dichtknijpt van de zenuwen.

'Oké,' zegt ze uiterlijk vastberaden.

Het is een behoorlijk eind rijden en Sanne kijkt de hele weg om zich heen.

'Je zit toch niet te kijken of een auto ons volgt? Of wel?' vraagt Rob geïrriteerd, als ze voor de zoveelste keer achter zich kijkt.

'Dat doe ik onwillekeurig,' biecht ze op.

'Ik zal een achteruitkijkspiegel voor je laten monteren,' grapt hij. 'Of wil je liever zelf rijden?'

Dan ziet Sanne hem. De smerige auto die een paar weken geleden op het pad naar de camping stond.

'Daar heb je ze,' zegt ze. Ze draait zich meteen om en durft niet te wijzen uit angst dat de inzittenden van de auto zien dat ze in de gaten heeft dat ze gevolgd worden.

'Waar dan?' vraagt Rob. Er klinkt spot en ongeloof in zijn stem.

'Er zitten minstens vier auto's tussen, Hij reed net op de middenbaan. Ik weet het zeker!' hijgt ze.

'Allemachtig, Sanne. Ik zie helemaal niks. Je haalt je echt van alles in je hoofd. Er is niets aan de hand.' Nu is Robs irritatie duidelijk hoorbaar. Sanne keert zich om en tuurt de weg af. Hoe ze ook haar best doet, ze kan de auto niet meer ontdekken.

'Ik weet het zeker,' mompelt ze.

'Je hebt je vergist. Zet het uit je hoofd,' gebiedt Rob. Maar Sanne blijft achteromkijken, tot ze op een deel van de weg komen waar het heel rustig is en ze goed kan zien dat de smerige auto absoluut niet achter hen rijdt. Dan pas keert ze zich om.

'Ik heb me vergist,' bekent ze.

'Ik heb melding gedaan van de achtervolging. Dat weet je toch? De rechercheur die aan het hoofd staat van het onderzoek heeft een aantekening gemaakt. Nu moet je echt tot jezelf komen. Ze hebben simpelweg geen enkele reden om mij in de gaten te houden. Ik ben totaal niet interessant voor ze,' legt Rob geduldig uit.

'Je hebt gelijk. Het zit tussen mijn oren,' besluit Sanne. Ze haalt diep adem en vermant zich.

Als Rob zijn auto op de bezoekersparkeerplaats van het Huis van Bewaring parkeert, is ze weer tot rust gekomen. Ze lopen samen naar de ingang en laten daar hun legitimatie zien. De entree is benauwd en overal ziet ze uniformen en bewakingscamera's. Het maakt een akelige indruk op haar en ze bedenkt dat iemand met claustrofobie hier bij de entree al zou afhaken. De behandeling door de bewakers is formeel en afstandelijk. Weinig woorden, snel afhandelen en doorlopen. Een man leidt hen door lange gangen naar een bezoekerskamer, waar hij hen op twee stoelen wijst aan een formicatafeltje.

'Gaat u zitten.' Hij neemt zelf plaats op een stoel tegen de wand. Ze gaan zitten en zwijgen.

'Nerveus?' vraagt Sanne fluisterend. Rob knikt. Hij wrijft gespannen in zijn handen en als de deur opengaat, kijkt hij meteen op. Een gedistingeerde heer met grijs haar wordt binnengeleid door een bewaker. De bewaker brengt hem naar de stoel tegenover hen en knikt.

'Takken,' zegt de grijze heer en hij steekt zijn hand uit. Rob en Sanne staan op, geven hem een hand en stellen zich voor. Dan gaan ze zitten. De bewaker is aan de andere kant van het kamertje op een stoel gaan zitten.

'Ik ben erg benieuwd naar uw verhaal,' zegt Takken. Sanne ziet een geamuseerd lichtje in zijn ogen.

'Het schijnt dat u mijn biologische vader bent,' opent Rob.

'Dat begreep ik uit uw verzoek tot bezoek, ja,' zegt Takken.

'Maar op basis waarvan?'

'Ik ben al een tijdje op zoek naar ene Henk Schieringer. Ik weet dat u uw naam hebt laten wijzigen en de naam van uw moeder bent gaan dragen. Maar toen u jong was, heette u Schieringer, nietwaar?' Takken fronst even. Dan zegt hij: 'Inderdaad.'

'Zegt de naam Cootje de Wolf u iets? Als mijn verhaal klopt, moet u haar omstreeks 1954 goed gekend hebben.' Takken kijkt hem nu onderzoekend aan. Sanne, die alleen maar naar zijn gezicht heeft zitten kijken, ziet nu duidelijk gelijkenissen tussen Rob en deze man. Dit is hem, weet ze zeker. Dit is Robs vader. Was het die oude baas op Vlieland maar geweest, dat was een stuk makkelijker geweest voor ons allemaal. Maar als dit zijn vader niet is, eet ik mijn hoed op.

'Cootje. Tja, dat is een vervelende episode geweest,' zegt Takken voorzichtig.

Ze kijken allebei oplettend naar de grijze heer voor hen.

'Ik weet dat u destijds het vaderschap heeft ontkend. Maar ik moet eerlijk zeggen dat mij een bepaalde gelijkenis niet ontgaat. U wel?' vraagt Rob nuchter.

De man knikt bedachtzaam.

'Misschien heeft Cootje toch de waarheid gesproken. Ik dacht dat het kind heel goed van een ander geweest had kunnen zijn,' zegt Takken.

'Er is een manier om vergissingen uit te sluiten,' zegt Rob.

'Hoe belangrijk is dat voor jou?' vraagt Takken, schijnbaar oprecht geïnteresseerd.

'Ik wil het graag weten. Ik ben journalist, dus ik ben van nature nieuwsgierig.'

'Ha! En ik ben goed voor een mooi verhaal, nietwaar?' spot Takken.

'Daar gaat het me niet om. Ik ben benieuwd naar u als mens. Vooropgesteld dat u inderdaad mijn vader bent. Als u het niet bent, heb ik verder ook geen interesse in u. Beroepsmatig wel, natuurlijk. Maar daar zal ik u niet mee lastigvallen. Bovendien zou ik daar nooit toestemming voor krijgen van justitie,' zegt Rob eerlijk. Takken lacht.

'Daar heb je helemaal gelijk in. Ze zijn als de dood dat ik mijn mond opendoe! Maar goed, doe wat nodig is. Ik stem toe in een DNA-onderzoek. Regel het maar. Is dat alles?'

'Voorlopig wel,' zegt Rob.

'Dan hoor ik het wel. Een beetje wangslijm is voldoende, nietwaar? Ik zie wel iemand met een spateltje verschijnen.' Hij staat op en steekt zijn hand uit.

'De gelijkenis is inderdaad aanwezig,' zegt hij nog. Dan knikt hij kort naar de bewaker, die meteen opstaat.

'Dank jullie wel voor de afwisseling,' zegt hij hoffelijk tot afscheid. Sanne en Rob knikken hem toe en dan is hij weg.

De andere bewaker zegt: 'Ik zal u naar de uitgang brengen.'

'Dank u,' mompelt Rob, volkomen overdonderd.

Pas in Artis komt Rob een beetje tot zichzelf.

'Je komt tot rust als je lang naar dieren kijkt,' concludeert hij bij de olifanten. Ze zitten samen op een bankje met een bakje patat, dat ze verkozen boven een lunch.

'Het was ook wel een verpletterende ervaring,' vindt Sanne.

'Bedankt dat je erbij was,' zegt hij lief.

'Ik heb geen woord gezegd,' bedenkt Sanne hardop.

'Dat hoefde ook niet. Alleen het feit dat je er was, is al genoeg.'

'Ik vond hem eigenlijk wel aardig. Charmant.'

'Ja, dat was hij zeker. Misschien wel gevaarlijk charmant. Een echte ritselaar. Maar ik heb het niet als bedreigend ervaren. Ik snap nu helemaal niet meer waar juffrouw Schaap zich zo over opwond,' zegt Rob.

'Nee. Ik ook niet,' bevestigt Sanne. 'Wat ga je nu doen?'

'Een DNA-onderzoek regelen. Daarna zien we wel weer,' besluit hij.

'Maar eerst naar de ijsberen,' besluit Sanne.

Een paar dagen later rijden ze samen naar België voor een lang weekend. Bij Eindhoven weet Sanne het zeker. Ze heeft de hele tijd de snelweg in de gaten gehouden, door het make-upspiegel-tje in de zonneklep zo te schuiven dat ze achter zich kan kijken, zonder dat Rob het in de gaten heeft. De smerige auto rijdt achter hen en hij is nog steeds niet gewassen. Ze weten niet dat ik ze gezien heb, beseft ze. Ze voelen zich veilig. Anders hadden ze wel een andere auto genomen. Ze denkt over de mannen in meervoud, hoewel ze niet weet of er nu meer dan één man in de auto zit. De auto houdt afstand en laat vaak andere wagens passeren, maar duikt telkens weer op. Ze wil het niet tegen Rob zeggen. Als die gaat kijken, krijgen ze het misschien in de gaten. En als hij de auto niet in zijn vizier krijgt, hebben we weer een hoop trammelant. Ze besluit tot een andere tactiek. Ik moet ze kwijt zien te raken, besluit ze.

Ergens tussen Eindhoven en Maastricht zegt ze tegen Rob: 'Zal ik zo rijden? Ik heb er zin in.'

'Ja, prima,' zegt hij meteen. 'Ik stop bij de volgende benzinepomp en dan wisselen we, goed? Misschien kunnen we daar ook een paar broodjes halen.'

'Lekker,' zegt Sanne, uiterlijk heel kalm. Rob slaat de afrit naar een pompstation in en parkeert langs de picknickrand.

'Ik haal wat lekkers. Laat jij Hazel even plassen?'

'Doe ik,' zegt Sanne. Ze heeft al lang gezien dat de smerige auto ook afgeslagen is en nu geparkeerd staat aan het begin van de strook. Niemand stapt uit. Sanne laat Hazel plassen op het grasveld en speelt met de hond, onderwijl iedere beweging van de auto in de gaten houdend. Het is een donkergrijze Opel, ziet ze. Nu heeft ze ook het kenteken, dat ze repeteert tot ze zeker weet dat ze het nooit meer vergeet.

'Lekker zo,' geniet Rob naast haar. Ze rijden Luik uit en Sanne ziet opeens dat de auto nu vlak achter haar rijdt. Zo veilig voelen ze zich dus. Ze hebben geen idee dat ik weet dat ze ons volgen. Gek genoeg voelt ze zich niet nerveus. Ze is vastbesloten om de auto van zich af te schudden.

'Doe even lekker je ogen dicht,' zegt ze zorgzaam tegen Rob.

'Heb ik al,' mompelt hij. Tegen de tijd dat ze vlak bij de afrit naar hun huisje is, ligt Rob diep in slaap. Nog maar honderd meter... Vlak voor haar sukkelt een vrachtwagen omhoog. Sanne schat haar kans in. Ze geeft plotseling een enorme dot gas, haalt de vrachtwagen in en duikt vlak voor hem de afrit af. De chauffeur in de vrachtwagen toetert verontwaardigd. In haar achteruitkijkspiegel ziet ze dat de vieze wagen geen kans heeft gezien de afslag te nemen.

'Wat doe je allemaal?' vraagt Rob, die wakker is geschrokken.

'Stom. Bijna de afslag gemist,' zegt Sanne. Rob is verschrikt rechtop gaan zitten na haar onverwachte manoeuvre. Sanne besteedt nauwelijks aandacht aan hem. Ze kijkt in haar achteruitkijkspiegel. Zouden de achtervolgers het risico nemen achteruit te rijden? Ze aarzelt geen moment, maar duikt vol gas de weg op. Bij de eerste de beste gelegenheid slaat ze rechts af een pad op, waarvan ze hoopt dat ze er ongezien kan parkeren.

'Wat doe je nu?' Rob klinkt angstig.

'We worden weer gevolgd. Stil maar. Ik heb alles in de hand,' zegt Sanne heel rustig. Maar ze voelt het bloed in haar slapen kloppen. Ze rijdt hard. Veel te hard voor het hobbelige pad.

'Kijk uit!' gilt Rob, die een schuur vlak voor zijn neus ziet opdoemen. Sanne aarzelt geen moment. Vol gas rijdt ze achter de schuur langs en ze gilt tegen Rob: 'Hou je vast!' Daarna staat ze boven op haar rem. Met gillende banden staat de auto stil. Hazel piept even, want die maakt een slinger in de achterbak.

'Zo,' zegt Sanne. Ze zet de motor af en neemt haar handen van het stuur. Meteen kijkt ze om naar Hazel, die rechtop is gaan staan en haar tot haar geruststelling kwispelend aankijkt.

'Idioot,' zegt Rob verontwaardigd.

'Het was een grijze Opel. Ik weet het kenteken. Kun jij nog lopen? Mijn knieën knikken. Ga maar kijken, maar wees voorzichtig. Laat je niet zien. Als de auto gepasseerd is, wachten we nog even en dan gaan we via binnenweggetjes verder,' zegt Sanne.

'Je meent het, hè?' Rob kijkt haar aan.

'Ik ben bloedserieus. Of denk je dat ik gek geworden ben?'

'Ik ga kijken,' besluit Rob. Als hij uitstapt en zijn positie inneemt aan de zijkant van de schuur, zodat hij ongezien de weg in de gaten kan houden, slaat Sanne haar handen voor haar gezicht en huilt. Deels door de ontlading van alle spanning en voor een groot deel ook van opluchting dat Rob haar gelooft, beseft ze. Het duurt lang. Af en toe kijkt Rob naar haar en gebaart: Rustig maar. Ik houd alles in de gaten. Ze knikt terug, helemaal gerustgesteld. Ze blijft wel zitten, want opeens voelt ze zich zo verschrikkelijk moe. Als ik nu mijn ogen dichtdoe, zou ik zo in slaap zakken, bedenkt ze. Ik ben totaal uitgeput van die wildwestscène. Bij die gedachte krijgt ze alweer een glimlach op haar gezicht. Wat absurd is dit allemaal. Zouden ze nu echt achter Rob aanzitten vanwege dat verhaal? Sanne kan het zich nauwelijks voorstellen. Dan ziet ze hoe Rob wegduikt. Hij maakt een gebaar naar Sanne, waaruit ze begrijpt dat hij wil dat ze bukt. Ze voelt meteen een lachkriebel opkomen. Als ik vanachter het stuur de weg niet kan zien, kunnen ze mij ook niet zien. En ze weet dat de auto ook vanaf de weg onzichtbaar is. Rob trekt zijn hoofd terug en laat zich met zijn rug tegen de achterkant van de schuur zakken. Ze ziet dat zijn gezicht wit is weggetrokken. Pas na een paar minuten komt hij weer overeind en dan rent hij terug naar de auto. Zachtjes opent hij het portier en hij fluistert tegen Sanne: 'De auto waar je het over had is net langsgereden. Ze reden vrij snel en er zaten drie mannen in. Ik schrok zo! Ik kon hun kenteken niet zien, maar het is wel heel toevallig. Het moet hem zijn!'

'Ze hebben natuurlijk de volgende afslag genomen en zijn gekeerd. Dat kan makkelijk binnen die tijd,' concludeert Sanne.

'Hoe kunnen we voorkomen dat we ze straks weer tegenkomen?' vraagt Rob zich af.

'Misschien kunnen we onze auto wisselen voor een auto van een van je halfbroers. Of van Cootje,' stelt Sanne voor.

'Nee. Dan krijgen zij die kerels nog achter zich aan. We rijden naar een garage waar we een auto kunnen huren. Dan stallen we onze auto zo lang en ruilen ze maandagochtend weer om,' besluit Rob.

'Prima plan,' vindt Sanne.

'Maar wat willen ze toch?' vraagt Rob zich hardop af. Ze blijven nog even zitten, tot ze weer tot rust zijn gekomen. Dan zegt Rob: 'Ik rij wel. We gaan gewoon de andere kant op. Daar kunnen we vast wel een auto vinden.'

Zo gauw ze weer op de weg zijn, voelt Sanne de oude onrust in zich opkomen. Maar ze bereiken een klein garagebedrijf in een naburig dorp zonder ook maar iets verdachts tegen te komen. De bejaarde eigenaar kijkt nogal vreemd op van hun verzoek.

'We willen eigenlijk een auto waarmee we ook over modderpaden kunnen rijden. Iets van een jeep, of zo?' vraagt Rob.
'Ik heb wel iets. Maar hij is smerig. We gebruiken hem alleen voor de jacht,' zegt de man, terwijl hij voor hen uitloopt naar het terrein achter de garage. Daar staat een aftandse wagen met een kap van zeildoek.
'Dat is precies wat we nodig hebben. Wat vraagt u ervoor? Inclusief de stalling van onze auto?'
De man spuugt eens op de grond en noemt dan een bedrag dat Sanne idioot laag voorkomt.
'Zonder benzine. Vol afleveren als je hem terugbrengt. Vooruit betalen en de sleutels liggen op de zonneklep,' zegt de man.
'Afgesproken,' zegt Rob. Hij laat meteen Hazel op de achterbank springen, klimt in de jeep, voelt op de zonneklep, start de auto en maakt plaats voor Sanne, die al klaarstaat om hun auto op de vrijgekomen plek te parkeren. Ze betalen de man contant en vragen hem meteen de tank vol te gooien.
'Dan staan we in het zicht,' bedenkt Sanne verschrikt.

'Het moet wel heel toevallig zijn als onze achtervolgers net langskomen,' stelt Rob haar gerust.
'Ja, maar stel je voor dat het wel gebeurt,' zegt Sanne angstig. Ze pakt de tassen uit de auto om ze in de jeep te leggen en Rob krijgt ineens een idee.
'Pak de regenhoedjes,' zegt hij. Sanne duikt in de tassen en diept twee waxhoedjes op die ze allebei opzetten. Daarna rijden ze de jeep naar de benzinepomp aan de weg, waar de oude garagebaas al klaarstaat.
'Bang dat het binnen gaat regenen?' spot hij.
'Je weet maar nooit,' zegt Rob laconiek en Sanne lacht.
Via allerlei binnenweggetjes rijden ze naar hun huis en net als

iedere keer krijgt Sanne het gevoel dat ze een beetje thuiskomt als ze het huis ziet opdoemen aan het einde van het pad.

'Wat is het hier toch altijd heerlijk,' verzucht Rob, als ze zich uit de jeep laten zakken. Hazel springt meteen uitgelaten rond, dolblij dat ze los mag. Ze snuffelt in het groen en wijdt de omgeving in door een enorme plas te doen onder de grote beuk op de hoek.

'We gaan morgen wel boodschappen doen. Vanavond eten we in het restaurantje. Ik wil geen meter meer rijden,' besluit Rob.

Als ze 's avonds naar het restaurant lopen, kan Sanne de neiging niet onderdrukken om elke auto te bekijken. Die is grijs. Is het een Opel?

'Ik blijf maar op auto's letten,' mompelt ze.

Bij het restaurant staat niets geparkeerd dat ook maar lijkt op een grijze Opel, dus gaan ze gerustgesteld naar binnen. Tijdens het eten merkt Sanne dat er zelfs momenten zijn dat ze niet aan de achtervolging denkt.

'We hebben het goed,' proost Rob en ze knikt.

'We moeten de spinnenwebben maar uit ons hoofd laten waaien,' zegt ze.

'Zo is dat,' zegt Rob.

Diezelfde nacht zit ze rechtop in bed, wakker geworden door het geluid van een auto op het pad. Zo laat nog een auto? Ze houdt haar adem in.

'Wat is er?' vraagt Rob.

'Ik hoor een auto,' fluistert ze. Samen luisteren ze gespannen naar het geluid. De motor wordt uitgeschakeld. Hazel blaft kort en fel. Het blafje van een hond die waarschuwt: Pas op, hier ben ik. Dan horen ze niets meer.

'Zullen we even kijken?' vraagt Sanne.

'Ja.' Ze sluipen op hun blote voeten over de koude plavuizen naar het raam. Rob tuurt als eerste het duister in.

'Niks te zien,' fluistert hij, terwijl hij opzij gaat voor Sanne. Ook zij kan niets ontdekken. Rob spiedt inmiddels door het zijraam.

'We moeten ons niet gek laten maken,' moppert hij. 'Het zijn natuurlijk gewoon mensen die laat zijn gearriveerd. Morgen zien we wel of er mensen in het huis van de buren zitten. Met deze duisternis kunnen we toch niets zien en ik heb geen enkele behoefte aan een nachtelijke wandeling. Ik kruip liever weer lekker in bed en duw mijn ijskoude voeten lekker tegen de jouwe aan.'

'Dat vind ik nu ook weer geen aanlokkelijk idee,' lacht Sanne.

'Maar in vergelijking met een wandeling midden in de nacht?' vraagt Rob.

'Dan moet het maar,' besluit Sanne.

Een uurtje later schrikt ze weer wakker van een geluid en ook al geeft Hazel geen kik, toch weet ze zeker dat ze voetstappen hoort.

'Rob, Rob, ik hoor voetstappen,' fluistert ze.

'Ik lig ook al te luisteren,' fluistert hij terug. Opnieuw gaan ze hun bed uit en kijken voorzichtig naar buiten.

'Het is een vrouw. Daar, naast het pad,' wijst Rob.

'Een vrouw?' vraagt Sanne verbaasd.

'Ze loopt in pyjamabroek met een jas erover. O, ze heeft een klein hondje! Dat moest er natuurlijk uit! Kijk maar.' Sanne kijkt met één oog langs het gordijn en ziet de vrouw bukken en een hondje optillen.

'Gut, het is een pup. Dat mens moest eens weten dat we midden in de nacht naar haar staan te gluren,' giert Sanne.

'Nu worden we nergens meer wakker van,' besluit Rob, als ze eenmaal weer in bed liggen.

'Ik hoop het van harte,' mompelt Sanne.

De volgende ochtend slapen ze een gat in de dag. Rob besluit naar het dorp te rijden om inkopen te doen voor een uitgebreid ontbijt met vers witbrood en eitjes van de boer en Sanne trekt haar wandelschoenen aan om Hazel uit te laten.

'Kaas en ham?' vraagt Rob nog, voordat hij in de jeep stapt.

'En roomboter,' geniet Sanne bij voorbaat. Want alleen in België smeert ze boter op haar zelfgesneden brood en dat is altijd een feestje op zich.

'Ik kan me nu al verheugen op de jus d'orange en de zwarte koffie,' lacht Rob.

'En het potje scrabble toe,' lacht Sanne, terwijl ze hem een kus geeft.

'Of twee potjes,' zegt Rob en hij legt even liefkozend zijn handen om haar gezicht.

'Doe voorzichtig,' zegt ze.

'Dag, lieverd,' groet hij. Ze kijkt de jeep na als Rob het pad afrijdt en loopt dan met Hazel het bos in. De labrador scharrelt lekker rond, pakt af en toe een spannend geurspoor op en loopt dan even opgewonden een stukje langs een wildpaadje het bos in, om dan weer kwispelend en tevreden terug te keren en haar natte neus tegen Sannes handen te duwen.

'Wat is het hier toch heerlijk, hè?' zegt Sanne tegen de hond. Ze haalt eens diep adem en geniet van de frisse voorjaarslucht. Tot ineens Hazel zich tot haar schrik omkeert en fel begint te blaffen. Al haar nekharen staan overeind. Verschrikt kijkt Sanne om.

Op een afstand van een meter of dertig van haar lopen twee mannen het pad op en Hazel, die nooit waaks is, blaft fel in hun richting.

'Stil, Hazel,' moppert Sanne. Ze keert zich weer om en loopt door. Twee mannen, niks aan de hand toch? Die maken gewoon een wandeling, net als ik. Alleen zonder hond. Zonder vrouwen en kinderen. Met elkaar. Kan toch? Maar terwijl ze feiten op een rijtje zet, tollen er angstige vermoedens doorheen. Het zullen toch niet die mannen uit de grijze Opel zijn? Stel nu dat ze het adres van Robs huis gewoon wisten? En hierheen zijn gereden en gewoon hebben afgewacht tot, ja, tot wat? Wat willen ze dan?

Ze begint onwillekeurig sneller te lopen en als ze bukt om een stok voor Hazel te pakken en meteen even achter zich te kijken, ziet ze dat de twee mannen haar niet proberen in te halen. Ze houden dezelfde afstand en lopen zwijgend naast elkaar. Nog even, dan komt er een smal pad naar rechts dat terugleidt naar het meer. Daar staan weer huisjes. Als ze die afslag neemt, is ze min of meer weer in de bewoonde wereld. Die gedachte geeft haar rust en als ze het pad oploopt, haalt ze opgelucht adem. Die mannen zullen het brede pad blijven volgen. Niemand loopt bij een boswandeling achter anderen aan. Iedereen wil de illusie hebben alleen te zijn en dat heb je alleen als je het pad voor je-zelf hebt. Ze voelt de natte neus van Hazel tegen haar hand, alsof de labrador haar gerust wil stellen. Of waarschuwen?

Ze kijkt om. Daar lopen ze. Nog steeds volgend op dezelfde af-stand. Dit voelt helemaal niet goed, bedenkt ze paniekerig en ze versnelt haar tempo. In haar jaszak zit haar mobieltje, dat Rob er altijd instopt voor het geval ze haar enkel verstuikt of zoiets. Ze heeft wel eens moeten lachen om zijn bezorgdheid en nu be-denkt ze dat de telefoon niet ingeschakeld is. Als ie al is opge-laden. En dan nog, ze heeft meestal een leesbril nodig om haar code te kunnen intoetsen of om een telefoonnummer te vinden in het adresboekje. Ze loopt nu flink door en krijgt het warm van de inspanning. Maar die wordt beloond.

'Daar is het meer,' zegt ze hardop en haar eigen stem geeft haar even een gevoel van zekerheid. Als ze langs de weg een auto ge-parkeerd ziet staan en twee mannen op de vlonder ziet zitten, haalt ze opgelucht adem. Er zijn mensen! Die zitten natuurlijk te vissen! Ze vertraagt haar pas en loopt gerustgesteld het laat-ste steile stukje langs de keitjes naar beneden. Achter haar klinkt een fluitje. Tot haar ontzetting staan de twee mannen op de vlon-der onmiddellijk op. Ze keren zich om en kijken in haar richting. Ze hebben geen hengels. Achter haar klinkt een stem die iets roept wat ze niet kan verstaan. De mannen op de vlonder komen in beweging en lopen op haar af. Hazel blaft en zet haar nek-haren op. Er klinkt nog een commando en Sanne kijkt in paniek om zich heen. Waar kan ik naar toe? Ze begint te rennen, struikelend over de keien, tot ze vlak bij de mannen het asfaltpad bereikt. Meteen slaat ze rechtsaf en zet het op een lopen. Ze kijkt niet of iemand haar achterna komt en bedenkt alleen dat ze misschien wel een idiote indruk maakt op totaal onschuldige mensen die nu stomverwonderd toekijken hoe een mevrouw met een hond voor hen op de vlucht slaat. Maar daar kan ze zich geen moment druk over maken.

Sanne rent zoals ze nog nooit gerend heeft. Ze hoort de motor van de auto aanslaan en op dat moment beseft ze ook dat die auto grijs is. Was het de Opel? Ze weet het niet zeker. Achter haar klinken opgewonden stemmen en ze beseft dat er in het Italiaans wordt geschreeuwd. Italiaans? Ze vliegt over het pad met Hazel naast haar. Ze hoort stappen achter zich, gehijg en gevloek. Waarom ziet ze nu niemand? Daar is het eerste huis van het park. Het ziet er verlaten uit, de gordijnen zijn dicht. Daarnaast? Is dat bewoond? Is er nu niemand aan het wandelen? Ze roept niet. Dat heeft geen zin. Spaar je adem tot je iemand ziet. Je hebt al je energie hard nodig om bij de huizen te komen. Daar! Daar zijn vast mensen. Ze ziet dat er bij het tweede huisje een auto geparkeerd staat. Nog even! Nog even...

Ze wordt bij haar jas gepakt en verliest meteen haar evenwicht. Met een klap slaat Sanne tegen het grove asfalt. Hazel gromt en blaft woedend en Sanne gilt.

'Nee! Help!' Ze ziet het gezicht van een van de mannen, pokdalig en verhit van de achtervolging. Hij sist iets tegen haar in een vreemde taal, vol woede en walging. Sanne spuugt in zijn gezicht en dan haalt hij uit met zijn vlakke hand en slaat haar hard in het gezicht. Ze gilt zo hard ze maar kan en dan krijgt ze een lap over haar mond geduwd met een akelige geur. Ze worstelt en slaat wild om zich heen. Tot ze misselijk en duizelig wordt van de lucht en beseft dat ze op het punt staat haar bewustzijn te verliezen. Haar armen worden zwaar en haar benen willen niet meer bewegen. O God, die auto! Ze hoort dat de auto dichterbij komt. Ze rijden straks over me heen. Ze maken me dood en dan lijkt het een ongeluk. Maar waarom? Waarom? Dan gaat definitief het licht uit.

Rob keert terug bij het huis, naast hem de plastic tasjes met de boodschappen voor het ontbijt. Hij glimlacht als hij ziet dat Sanne nog steeds niet terug is met Hazel. Nu heeft hij de tijd. Hij zet een cd op met barokmuziek en fluit vals mee als hij koffie zet, verse eitjes kookt en de tafel dekt. Tevreden bekijkt hij het resultaat. Dat ziet er goed uit. Dan loopt hij naar de slaapkamer en haalt uit zijn tas een rode kunstroos en een klein, prachtig ingepakt doosje. Hij legt de roos en het pakje op Sannes bord. Het kaartje, dat hij thuis al gemaakt heeft, zet hij tegen haar glas jus d'orange. Perfect. Hij kijkt nog eens en grijnst om zijn eigen tekst.

'Omdat ik vaak makkelijker schrijf dan praat en omdat je het toch met me uithoudt. Ik houd van je,' staat er op het kaartje. In het pakje zitten kleine oorbellen met diamantjes. 'Omdat ik je zo graag stralend zie en je soms zo verdrietig maak door mijn harkerige gedrag,' knikt hij in de richting van de ontbijttafel. Hij verheugt zich nu al op het moment dat ze binnenkomt na de wandeling. De eitjes zijn klaar. De koffie ook. Waar blijft Sanne nu? Hij loopt maar eens naar buiten en kijkt het pad af. Niets te zien. Het park lijkt uitgestorven, maar het huis naast hen is inderdaad bewoond. De vrouw die ze de nacht ervoor nog hebben bespied, doet de deur open en komt naar buiten met een herderpup.

'Goedemorgen,' groet ze vriendelijk.

'Goedemorgen,' groet Rob terug en natuurlijk komt de pup kwispelend op hem af. Hij bukt.

'Zo, wat ben jij lief! Kom jij de buurman even begroeten?' De pup ligt meteen op haar rug en laat zich aaien.

'Wat een mooi beest,' prijst Rob tegen de vrouw die nu vlak bij hem staat.

'Hertha heet ze,' vertelt de vrouw. 'We hebben haar nu een maand. We hebben altijd herders gehad, maar dit is wel een heel ondeugend geval.'

'O?'

'Ze valt schoenen aan. Niet aan voeten, maar los. Mijn tennisschoenen zijn al naar de haaien en uit mijn regenlaarzen heeft ze ook een hap genomen, vannacht.' Rob ziet nu de laarzen van de vrouw, waar aan de bovenkant inderdaad een heel stuk is weg gebeten. Hij lacht.

'Een hond opvoeden is altijd een hele kunst. Maar als het lukt, heb je wel een maatje voor het leven. Wij hebben een labrador. Hazel. Sanne, mijn vrouw, is met haar aan het lopen. Ik verwacht haar ieder moment terug.' Hij bukt zich weer naar Hertha en zegt: 'Dan heb jij een speelkameraadje.'

'Misschien kom ik ze wel tegen,' groet de vrouw, voordat ze met de jonge herder het bospad inloopt.

Rob loopt het huis weer in. Waar blijft Sanne toch? De koffie wordt oud en die eitjes... Verdorie. Hij haalt ze uit de eierdopjes en legt ze in een ovenwant op het aanrecht. Misschien dat ze zo warm blijven. Opnieuw loopt hij naar buiten en besluit het grote pad naar het meer op te lopen. Hopelijk kom ik haar tegen als ik bij de hoek ben, bedenkt hij. Of ze komt van de andere kant en dan mis ik de blik op haar gezicht als ze de verrassing ziet. Hij wordt er nerveus van en veert pas op als hij aan het eind van het pad een labrador ziet. Ha, een hond. Precies Hazel. Hoe is het mogelijk. Die lijkt echt sprekend op... Is dat Hazel? Hoe kan dat? Waar is Sanne dan?

'Het is vast een andere hond,' zegt hij hardop. Omdat er maar één manier is om daar meteen achter te komen, fluit Rob en roept: 'Hazel! Hier!'

De hond kijkt meteen in zijn richting en rent onmiddellijk op hem af. Als ze vlak bij hem is, staat ze stil en Rob ziet hoe ze trilt van angst. Haar staart tussen haar benen, helemaal in de war.

'Wat is er gebeurd, liefje? Wat is er?' Rob aait haar en voelt dat haar vacht vochtig is. Dan ziet hij aan zijn hand, dat er bloed op haar vacht zit.

'Hazel? Wat is er? Je bloedt!' Hij inspecteert de hond, maar ziet nergens een verwonding. Op dat moment slaat de totale paniek toe. Er is iets met Sanne. Dit is bloed van Sanne.

'Waar is het vrouwtje?' vraagt hij schor aan de hond. Hazel kwispelt, een beetje gerustgesteld door zijn aanwezigheid.

'Zoek het vrouwtje,' zegt Rob. Maar hij beseft hoe klein de kans is dat de hond hem werkelijk naar Sanne leidt. Hij loopt met de labrador het grote pad af naar het meer. Ze lopen tot de vlonder waar vaak mensen zitten te vissen. Het park is echter vrijwel verlaten.

'Dit heeft geen zin, lieverd. We gaan terug. We proberen haar te bellen. Is het vrouwtje gevallen in het bos? Heeft ze zich bezeerd? En kom jij me halen? Ze heeft haar mobieltje in haar zak. Die kan ze vast wel aanzetten. Dan bel ik haar, thuis, met mijn mobiel. En dan vertelt ze waar ze is. Zo komt het allemaal wel goed,' vertelt hij, meer tegen zichzelf dan tegen Hazel, die nog steeds licht trilt van angst.

'Ze hebben hier weer achterlijk geremd ook. Het hele asfalt is aan gort,' moppert Rob, als hij diepe bandensporen ziet in het pad. En terwijl hij daar geërgerd naar kijkt, ziet hij ineens iets glinsteren aan de kant. Hij loopt erop af en weet het meteen. Dat is Sannes mobieltje. Het staat uit. O God, waar ben je?

'Sanne!' brult Rob vol angst en woede. 'Sanne!'

Volkomen over zijn toeren rent Rob een eind het bospad op, maar nergens is een spoor van Sanne te bekennen. Hij houdt haar mobieltje in zijn hand geklemd, alsof hij op die manier een bericht van haar kan doorkrijgen. Al snel beseft hij dat hij de

verkeerde kant oploopt. Ze heeft haar mobiel op het asfalt verloren en daar stond Hazel ook. Dus denkt hij na. Word rustig.
Daar, op die plek, is iets gebeurd. Hij herinnert zich de bandensporen als hij terugloopt. Hier is een auto gekeerd, dat kan hij
duidelijk zien. Maar verder? Het asfalt verraadt niets.
Ik moet hulp zoeken, beseft hij. Snel loopt hij terug en onderwijl stelt hij Hazel gerust door tegen haar te praten.
'Jij kunt me niet vertellen wat er gebeurd is, hè? Kon je maar
praten. Wat is er toch aan de hand, allemaal? Kom, lieverd. Je
riem. Je riem is ook weg.' Hazel duwt geruststellend haar natte
neus tegen zijn hand. Sanne heeft haar riem om haar nek, beseft
Rob. Dat doen ze allebei als ze de hond uitlaten. De riem gaat als
een soort halsketting om hun nek, klaar voor de momenten dat
ze met Hazel moeten oversteken of langs een drukke weg lopen.
Als hij het huis nadert, loopt Hazel enthousiast vooruit op weg
naar haar ontbijt. En als Rob bij de deur is, staat de hond al te
blaffen bij het aanrecht. Hij zet haar bak op de grond, geeft haar
een aai over haar rug en kijkt hulpeloos om zich heen. Wat nu?
Hij legt Sannes mobiel op tafel en pakt zijn eigen toestel. Wie
moet ik bellen? De politie? In het Frans? Dat wordt niks. Ik
vraag bij de receptie om hulp, besluit hij.
'Ik ga even boodschappen doen. Goed op het huis passen,' zegt
hij plichtmatig tegen de hond. Dan stapt hij in de auto en rijdt
naar de receptie. Conciërge Bram komt net zijn huis uit om
Beau uit te laten. Rob zet meteen zijn auto aan de kant. Kort legt
hij uit wat er aan de hand is en Bram staat hem zwijgend met
grote ogen aan te kijken.
'Is ze weg?' vat hij samen. Rob knikt.
'En haar mobiel lag op het pad?'
'Ja.'
'Kan het niet zijn dat ze op de heenweg haar mobiel verloren is?
En dat ze nu ergens ligt met een verstuikte enkel of zo? Dat gebeurt vaak, hè? Dan gaan we straks zoeken met een aantal mensen en honden. Dan vinden we haar wel,' zegt Bram. Het klinkt
volkomen redelijk en Rob aarzelt. Moet ik hem nu vertellen dat

we achtervolgd werden? Bram zal wel denken dat ik hartstikke gestoord ben.

'Heb je toevallig een vreemde auto gezien op het park? Met mannen erin? Een grijze Opel?' vraagt hij. Bram knikt verbaasd. 'Ja, gisteravond al en vanochtend weer. Lia en ik zijn er gisteren nog even achterna gereden, maar we konden ze niet meer vinden. Er wordt de laatste tijd vaak ingebroken in de buurt. Dus je weet maar nooit. Vanochtend zag ik de auto het park afrijden. Ik denk dat ze vannacht het meer hebben afgestroopt. Kunnen wij weer nieuwe vissen kopen. Doodziek word je ervan,' vertelt Bram.

'Vanochtend? Hoe laat?' vraagt Rob.

'Een halfuurtje geleden ongeveer. Er zaten een paar mannen in. Ik kon ze niet goed zien. Ze hadden van die getinte ramen. Maar hoezo? Dat heeft toch niks te maken met Sanne?' Rob aarzelt. Dan zegt hij: 'Nee, natuurlijk niet. Maar stel je voor dat Sanne ze betrapt heeft? En dat ze de politie wilde bellen?' Bram lacht.

'Jij hebt wel een levendige fantasie geloof ik! Maar dat moet ook wel als je voor de krant schrijft. Ik geloof altijd maar de helft van alle onzin die ik lees.' Hij slaat Rob joviaal op de schouder en zegt: 'Kom, we gaan zoeken. Ga maar naar huis, dan starten we vanuit daar. Er zit hier een man met een politiehond. Met die hond hebben we haar zo gevonden. Ik loop meteen naar hem toe. Nog even en dan kunnen jullie er samen om lachen.'

'Bedankt, Bram,' knikt Rob. Verslagen loopt hij terug naar huis. Die kerels waren hier gisteravond al. En vanochtend weer. Zo ongeveer om de tijd dat Sanne terugkwam naar huis. Wat willen ze toch? Wat is dit voor idiote puzzel? Wat moeten ze van ons? Maar als hij even later geblaf hoort en buiten de hulptroepen ziet, krijgt hij weer een beetje moed. Ze schudden handen en stellen zich voor; drie mannen, een vrouw en Bram. Een van de mannen is van een hondenbrigade en verzekert hem dat ze snel gevonden zal zijn. Het spoor is immers nog vers? De baas wijst trots naar zijn enorme Duitse herder en zegt: 'Pukkie heeft nog nooit een spoor gemist.' De andere twee mannen en de vrouw zijn vogelaars en hebben geleerd hun ogen te gebruiken.

'Dat klinkt misschien raar, maar door onze hobby raak je daarin getraind. Wij zien meer dan u,' glimlacht de vrouw.

'Ik heb Beau thuisgelaten. Neem Hazel maar niet mee, want dan wordt onze speurneus afgeleid,' raadt Bram Rob aan.

'Heb je iets wat je vrouw pas nog heeft gedragen? Raak het dan zo weinig mogelijk aan en geef het aan me,' zegt Pukkies baas. Rob haalt Sannes nachthemd en Pukkie ruikt. Meteen kiest hij het pad dat Sanne die ochtend opwandelde. Ze lopen snel en als de herder op een bepaald moment even aarzelt, zegt zijn baas: 'Er zijn andere mensen na haar over het pad gelopen. Hij is het spoor af en toe even kwijt.'

'Een mannenmaat,' wijst de vrouw op de voetsporen op het drassige pad.

'Twee,' ziet een van de mannen.

'Die zouden haar gezien moeten hebben. Maar misschien hebben ze een ander pad genomen,' veronderstelt Bram. Bij Rob slaat de angst om het hart. Twee mannen. Is Sanne gevolgd?

Als ze eindelijk op het asfaltpad zijn aangekomen waar Rob Sannes mobiel heeft gevonden, blijft Pukkie staan. Hij kwispelt wild en springt tegen zijn baas op.

'Hier stopt het spoor,' zegt die verbaasd.

'Die auto, zat Sanne daarin?' vraagt Rob aan Bram.

'Welnee. Hoe kom je daarbij?' Ze staan een beetje verdwaasd naar elkaar te kijken.

De man met de hond constateert nog eens: 'Hier houdt het spoor op.'

'Dus hier moet ze in een auto zijn gestapt?' vraagt de vrouw.

'Het lijkt erop,' zegt de man met de politiehond. Ze kijken allemaal naar Rob.

'Wat was er met die auto?' wil de vrouw weten.

'Ik weet het niet,' mompelt Rob. 'Ik weet niks meer. Ik moet naar huis. Bellen. Hulp zoeken. Iets doen.'

'Ik ga met je mee,' zegt Bram.

'Als je nog meer hulp nodig hebt, dan horen we het wel. Ze is vast bij iemand in de auto gestapt. Om een boodschapje te doen of zo,' zegt de vrouw.

'En dan je hond achterlaten? Dat is toch wel raar,' merkt de man met de politiehond op. Rob hoort het wel, maar reageert niet meer. Hij beent vooruit en Bram loopt met hem mee.

'Rob, vertel nou eens. Hebben jullie ruzie gekregen? Is Sanne boos weggelopen of zo?'

Rob schudt zijn hoofd. 'Ik moet eerst naar huis. Daar vertel ik je alles. Voor zover ik het weet, natuurlijk.' Bram zwijgt. Als ze het pad naar het huis oplopen, komt Hazel tot Robs stomme verbazing op hen afgerend.

'Hazel! Ik heb de deur zeker niet goed dichtgedaan,' mompelt hij. Maar meteen krijgt hij een akelig voorgevoel en hij versnelt zijn pas. Achter hem hoort hij Bram hijgen. Als hij de bocht omgaat, ziet hij de deur openstaan. Rob aarzelt geen moment, rent naar binnen en ziet op tafel een vel papier liggen dat hij daar niet heeft neergelegd. In drie grote stappen staat hij bij de tafel en leest. Met grote letters staat erop: 'ZORG DAT DIE SCHOFT ZIJN MOND HOUDT. GEEN POLITIE. DAN KRIJG JE JE VROUW TERUG.' Rob pakt het papier op, smoort een vloek en verfrommelt het papier tot een prop die hij machteloos op de grond laat vallen. Hij zakt neer op een eetkamerstoel en kijkt verslagen naar de feestelijk gedekte tafel.

'Het pakje! Het pakje is weg. En het kaartje ook,' fluistert hij tegen Bram, die zwijgend achter hem staat.

'Vertel,' zegt hij. Rob vertelt. Over de achtervolging en hun angst dat het te maken heeft met zijn opdracht voor de krant.

'Ik heb een verslag gemaakt over de recherche. Die hebben een tijd lang een huis geobserveerd waarin mensen samenkwamen die verdacht werden van het smeden van terroristische plannen. Hartstikke interessant, maar misschien heb ik de woede van een criminele organisatie op mijn hals gehaald. Sanne was bang. We werden regelmatig in de gaten gehouden en gevolgd. Ook op weg hierheen. En nu dit! Sanne is weg en hier ligt de boodschap. Ze zijn gewoon naar binnen gewandeld om een briefje neer te leggen. Ze hebben Sanne meegenomen. O God, wat moet ik doen?' Wanhopig kijkt hij naar Bram, die zich bukt en het papier gladstrijkt.

'Wie moet er z'n mond houden?' vraagt hij.

'Wat?' Verwilderd kijkt Rob hem aan.

'Er staat: 'Zorg dat die schoft zijn mond houdt',' leest Bram kalm voor. Rob grist het papier uit zijn handen en leest nog eens. Zijn handen trillen.

'Ik weet het niet. Ik weet het echt niet,' zegt hij verslagen.

'Jij schijnt ervoor te kunnen zorgen dat iemand zijn mond houdt. Als je dat doet, komt Sanne terug. Zeg, dit is toch geen grap, hè? Ik zit toch niet in een programma met een verborgen camera of zo?' vraagt Bram wantrouwig.

'Ik word gek. Zeg me dat ik droom,' kreunt Rob wanhopig.

'Oké. Geen verborgen camera. Toch lijkt het erg op een aflevering van Baantjer. Wie moet er nou zijn mond houden?' dringt Bram aan.

'Ik zeg je toch dat ik dat niet weet!' schreeuwt Rob. 'We moeten de politie bellen!'

'Geen politie, staat er op dat papier. Denk nou eens na, man. Er moet iemand z'n mond houden. En over welk pakje had je het eigenlijk?'

'Ik had oorbellen gekocht voor Sanne. Het pakje lag bij haar bord. Met een kaart erbij. Die is ook weg. Ik heb geen idee wat ze willen. Wat moet ik nu?' Rob voelt zich misselijk worden van ongerustheid. Waar is Sanne? Wat moet ik doen?

'Sorry,' kreunt hij tegen Bram. Hij staat op en wankelt naar het toilet. Daar keert hij kreunend zijn maag om, steunend op de toiletbril. Vreemd genoeg brengt die actie hem weer een beetje terug in de werkelijkheid en als hij na afloop zijn handen en zijn gezicht wast, haalt hij eens diep adem. Ik moet rustig nadenken, beseft hij. In de kamer zit Bram nog steeds naar het verkreukelde papier te staren.

'Hoeveel schoften ken je eigenlijk? Ik bedoel, schoften die iets weten en op het punt staan dat ook te vertellen? Denk eens na,' maant Bram hem.

Ineens weet Rob het. Het is alsof de waarheid hem in één klap wordt geopenbaard door de heldere vraag van Bram.

Hij rilt even van afschuw en zegt dan: 'Ik ken maar één schoft die een heleboel gevoelige informatie heeft.'

Mijn hemel, waar ben ik? Met een klap stuitert Sannes arm tegen een stalen plaat en haar heup bonkt gevoelig tegen de bodem. Een achterbak! Ik zit in de achterbak van een auto! Haar mond is dichtgeplakt; ze voelt met haar tong de kleefkant van breed plakband en ze haalt nerveus adem door haar neus. Haar handen zitten aan elkaar vast, maar ze kan niet zien waarmee. Haar benen zijn vrij en ze trapt uit alle macht tegen de bovenkant van de kofferdeksel. Maar omdat er zo weinig ruimte is om uit te halen, levert dat weinig resultaat op. Ik raak er alleen maar van buiten adem, beseft ze. Ze concentreert zich op het aannemen van een houding waarbij ze zo weinig mogelijk pijn heeft.

De auto maakt af en toe vreemde bochten en ze realiseert zich dat ze over binnenweggetjes vol gaten hobbelt, die de chauffeur probeert te vermijden. Af en toe maakt de auto bijna slagzij en dan rolt ze weg, onmachtig om zich tegen te houden. Waar gaan we naar toe? Hoelang ben ik buiten bewustzijn geweest? Heeft niemand gezien dat ik in de auto ben gehesen? En wat doet Rob nu? O god, Rob... Zou hij meteen hulp kunnen halen? Dit kan toch niet? Dit gebeurt toch niet in het echt? Niet met mij, tenminste? En waarom... Er zal toch niemand denken dat we miljonair zijn of zo? Sanne hijgt van inspanning om de klappen te vermijden en voelt op allebei haar heupen bloeduitstortingen ontstaan waardoor een stekende pijn niet meer te vermijden is. Ook haar armen, schouders en ellebogen moeten vrijwel beurs aan het worden zijn. Hoe lang nog? Tranen biggelen over haar wangen.

Dan stopt de auto. Sanne houdt haar adem in. Ze hoort stemmen in een taal die ze niet verstaat. Hoewel, is dat Italiaans? Er klinkt ook een andere taal. Servisch, Kroatisch, in ieder geval een Slavische klank. Dan, ineens, gaat de kofferbak open. Ze knippert tegen het onverwacht felle licht. Een man tilt haar omhoog en laat haar uit de kofferbak klimmen. Ze doet haast verdoofd wat hij haar opdraagt in krom Frans met een zwaar accent.

'Spring! Oké. Volgen.' Hij houdt haar bij haar samengebonden handen vast en ze ziet nu dat er een soort strip omheen zit waarmee je verpakkingen vastmaakt. Ze loopt voor de man uit naar een oud, vervallen huis. Het pad is overwoekerd door hoge, wilde planten, berenklauw en fluitenkruid, een wirwar van groen en overwoekerde puinresten die getuigen dat er ooit een poging is gedaan het oude pandje te restaureren. Ze struikelt af en toe over de rommel en kan maar met moeite haar evenwicht bewaren door haar vastgebonden handen. De man laat haar om het huis heen lopen. Daar waren ooit de stallen. Dit is een boerderij geweest, ziet ze. Hij leidt haar naar een van de vele verveloze deuren, schopt hem open en duwt haar naar binnen.

De grote ruimte staat vol oude landbouwwerktuigen, gereedschappen, bouwmaterialen en een oude eend zonder wielen. Een ribbelneus, ziet Sanne opvallend helder. Zomaar een ribbelneus in een oude boerenschuur. Daar droom je van. En nu ziet ze er zomaar een. De man dirigeert haar naar achteren, waar een kleine trap omlaag voert. De deur aan het eind van de trap staat al open. Ze loopt vooruit en komt in een kleine kelderruimte. Er zijn een bed, een wasbak en een emmer. Alles staat al klaar, beseft ze in één oogopslag. Dit is voorbereid op mijn komst.

Ze wordt plotseling zo woedend bij die gedachte dat ze zich omdraait en woest uithaalt naar de man die nog steeds achter haar staat. Met twee handen raakt ze hem vol op zijn gezicht. Hij vloekt. 'Klerewijf!' en slaat onmiddellijk terug. Met zijn vlakke hand tegen haar wang. Ze slaat tegen de grond en trapt nu uit alle macht met twee benen in zijn richting. Hij springt kalm naar achteren, grijnst en zegt: 'Dan hou je voorlopig toch lekker die strip om je handen. Bekijk het maar!' Met een klap sluit hij de deur. Ze hoort het geluid van een sleutel en van een schuif die met een klap wordt dichtgeschoven. Die zit goed dicht, beseft ze. Met haar handen rukt ze de tape van haar gezicht en ze onderdrukt de neiging om meteen te gaan gillen. Waarschijnlijk is dat verspilde energie. Gebruik je hersens. En kom eerst tot rust, beveelt ze zichzelf. Ze gaat op het bed zitten en bemerkt dan pas hoe haar handen trillen. De rest van haar lijf doet mee. Buiten die angstreactie doet alles zeer. Ze bekijkt haar armen en voelt voorzichtig langs haar heupen. Mijn hemel, alles is bont en blauw. En mijn gezicht! Ze loopt naar de wasbak en spoelt haar handen en haar gezicht. Kon die strip er maar af. Hij begint flink te snijden bij haar polsen. Er is een stukje huid geschaafd onder het scherpe bandje en die plek doet niet alleen zeer, maar wordt ook steeds groter.

Ze inspecteert de twee hoge raampjes waardoor buitenlicht naar binnen komt. Ouderwetse stalraampjes die niet open kunnen. En zo klein en zo hoog dat een volwassen mens zich er nooit doorheen zou kunnen wurmen. Een deur met een grendel ervoor. Hoe kan ik hieruit ooit ontsnappen?

Hoeveel mannen waren er? Minstens twee. Misschien drie? Of vier? Ze weet het niet. Ze heeft het niet kunnen zien. Ze rolt zich op op de matras en laat alles wat ze weet nog eens de revue passeren. Maar dat rijtje is veel korter dan het aantal vragen. Hoe hebben ze ons gevonden? Maar vooral, waarom?! Sanne doet haar ogen dicht en kreunt zachtjes.

'Henk Takken,' zegt Rob. Bram kijkt hem vragend aan en Rob vertelt over de speurtocht naar zijn biologische vader, een tocht die uiteindelijk eindigde in het Huis van Bewaring, waar Sanne en hij op bezoek gingen bij Henk Schlerlnger, nu bekend als Henk Takken.

'Hij zit vast omdat hij verdacht wordt van grootscheepse wapenhandel en levering van allerlei biologische en chemische middelen aan landen als Iran, Irak, noem maar op. Ze zijn hem nog steeds aan het ondervragen en hij weet natuurlijk veel meer dan hij tot nu toe heeft verteld. Dergelijke handel drijf je niet in je eentje. Daar zitten groepen mensen achter; misschien wel gevestigde bedrijven die een naam te verliezen hebben. Of regeringsfunctionarissen met pakken boter op hun hoofd. Handelsdelegaties met vieze handjes, weet ik veel. Mijn god, die man moet genoeg weten om heel wat mensen te laten bibberen. En als ze mij al op het oog hadden toen ik met de recherche dat pand observeerde en er daarna achter kwamen dat ik waarschijnlijk familie ben van die Takken! Wat ben ik naïef geweest! Ze zetten mij onder druk om ervoor te zorgen dat Takken zwijgt. Logisch!'

'Mooi. Bel die man op, zeg hem wat er aan de hand is en klaar. De ontvoerders zullen wel weer contact met je opnemen en dan leg je uit dat alles geregeld is. Dan laten ze Sanne vrij en klaar is Kees,' zegt Bram opgelucht.

'Zou je denken?'

'Tuurlijk. Wat moeten ze verder met haar? Dat is toch alleen maar lastig. Ze moeten haar verbergen en eten geven en noem maar op. Nee, daar zullen ze heus niet zo'n trek in hebben. Het lijkt mij nogal professioneel allemaal, zoals jij dat schetst. Zulke jongens hebben geen zin in babyoppas,' zegt Bram zelfverzekerd. Meteen trekt Rob wit weg. Nee, natuurlijk hebben ze geen zin in babyoppas. Bram heeft gelijk. Professioneel gezien vermoorden ze Sanne meteen. Dan hebben ze alle bewegingsvrijheid en hoeven ze zich geen zorgen te maken om haar te verbergen.

'O god,' mompelt hij.

'Wat?' vraagt Bram. Rob legt uit waar hij bang voor is.

'Dat zal toch niet?' bedenkt Bram hardop. Hij pakt zijn sigaretten en zegt: 'Sorry. Even roken. Ik kan niet meer zo goed nadenken. Wat moeten we doen?'

'Ik moet iemand bellen. Ik kan hier moeilijk in mijn eentje alles oplossen. Toch?'

Bram knikt. 'Wie kun je het best bellen? Aan wie heb je het meest?'

'Mijn stiefzoon. Wichard. En misschien Sanne's vriendin, Yvonne. Of juffrouw Schaap. Haar zuster Cathy. Nee, die niet. Daar word ik onder normale omstandigheden al gek van. Ik bel eerst Wichard.'

Rob belt. Hij legt Wichard het hele verhaal voor en wordt maar weinig onderbroken. Wichard luistert en stelt heel gerichte vragen. 'Politie bellen?' Rob legt uit waarom niet. 'Wat kan ik doen? Naar je toe komen? Ik ga meteen vervanging regelen voor de camping en bel je terug. Wie wil je dat ik meeneem? Juffrouw Schaap? Ik zal haar vragen. Yvonne zal ik ook bellen. Al is het maar om op Rinke te passen.'

'Ik bel je zo gauw ik alles voor elkaar heb en in de auto kan stappen. Hou je taai,' zegt Wichard. Hij klinkt zo rustig, dat Rob er ook kalmer van wordt.

'Wichard gaat alles regelen,' zegt hij tegen Bram.

'Mooi. Dan ben je niet alleen,' knikt Bram. Hij kijkt eens op zijn horloge.

'Ik sta jou ook maar van je werk te houden,' bedenkt Rob opeens.

'Ik moet er inderdaad even vandoor. Hou je nou maar kalm. Ik kom vanavond even informeren hoe het ervoor staat. Voorlopig moet je toch maar afwachten,' knikt Bram.

'Hou jij dit verhaal stil? Zeg maar tegen die vogelaars en die man met de politiehond dat we ruzie gehad hebben en dat Sanne er vandoor is gegaan, zonder me iets te vertellen. Dat slikken ze wel. Als er dan al geroddeld wordt, is het daarover. Beter dan dat het verhaal van een ontvoering de ronde gaat doen,' oppert Rob. Bram knikt. 'Tuurlijk. Dag!'

Rob kijkt hem na. Er is hem een hoop duidelijk geworden over de toedracht. Hij beseft dat hij zo snel mogelijk in contact moet komen met Henk Takken. Die heeft de sleutel in handen om deze ellendige situatie op te lossen. Maar hoe moet hij definitief bewijzen dat Takken zijn mond zal houden? Is een belofte in die kringen goed genoeg? Hij gaat aan tafel zitten en pakt pen en papier. Dan belt hij met zijn redactie.

'Ineke, hoi! Kun je even wat telefoonnummers voor me opzoeken? Ik zit in België en moet even wat nagaan. Ik kan hier ook naar een internetcafé, hoor, maar als je een minuutje voor me hebt?' De redactiesecretaresse heeft alle tijd. Ze informeert uitvoerig naar het weer in de Ardennen en Rob babbelt er zo onbekommerd mogelijk op los. Onderwijl zoekt Ineke in de computer naar de nummers van het Huis van Bewaring en geeft alles door wat ze maar kan vinden.

'Je bent een engel, dat weet je toch, hè?' prijst Rob.

'Ja, ja, doe maar bloemen als je weer terug bent,' lacht ze. 'Geniet ze nog, hè? En groeten aan Sanne!'

'Dank je wel,' lacht Rob, Zijn handen trillen als hij de verbinding verbreekt.

Op een paar kilometer afstand loopt Sanne door de kelderruimte om iedere centimeter metselwerk aan een nauwkeurige inspectie te onderwerpen. Er zingt nog maar één gedachte door haar hoofd: 'Ik moet hier weg. Zo snel mogelijk.'

Rob belt meteen het Huis van Bewaring, al heeft hij geen idee of hij Takken aan de telefoon kan krijgen. Informeren maar. Al snel krijgt hij te horen dat hij daar toestemming voor moet aanvragen en dat dat eventueel telefonisch kan.

'U kunt morgenochtend tussen 9.00 en 10.00 uur dit nummer bellen en een formulier invullen waarop u de aanvraag voor een telefonisch onderhoud doet. Het kan ook eventueel andersom. U kunt een nummer achterlaten bij degene die u graag wilt spreken en die kan besluiten om contact met u op te nemen. Iedere gedetineerde heeft recht op een aantal telefoontjes en wie weet bent u daar dan bij,' legt een vriendelijke mevrouw Rob uit. Die zucht eens diep.

'Het is heel erg dringend,' zegt hij.

'Dat hoor ik vaker, meneer,' antwoordt de mevrouw onverstoorbaar vriendelijk.

'Dan bel ik morgenochtend terug,' besluit Rob. Hij verbreekt de verbinding en krijgt meteen een telefoontje. Het is Wichard.

'Rob, Yvonne komt hierheen met Daan en Abel. Die hebben net een weekje vakantie, dus dat komt goed uit. Ze hebben beloofd op de camping te passen. Ik kom met juffrouw Schaap jouw kant op. Schaap is wel een beetje in de war, maar ze zal wel tot rust komen als ze eenmaal in de auto zit. Kan ik nog iets voor je doen?'

'Ja, neem een laptop mee. Dan kan ik die aansluiten op mijn mobiel. Verder zou ik het echt niet weten. Ik wacht op je. Dag, jongen,' zegt Rob.

'Tot zo, Rob.'

Drie uur, misschien tweeëneenhalf uur. Dan zijn ze er. Dan ben ik niet meer alleen, bedenkt Rob tot zijn opluchting. Want hij kan niet anders doen dan afwachten. Buiten op het terras ziet hij hoe het langzaam donkerder wordt. Vleermuizen duiken tussen de sparren door en Hazel ligt aan zijn voeten. Sanne, waar ben je, denkt Rob.

Als Sanne de grendel voor de deur hoort wegschuiven, gaat ze snel op het bed zitten, haar ogen op de deur gericht. De man die haar eerder naar deze kamer heeft gebracht, komt binnen. Hij heeft een blad in zijn handen met een bord, een beker en een karaf.

'Eten,' zegt hij, terwijl hij het blad neerzet en met zijn voet in haar richting schuift.

'Ik zit nog vast,' zegt Sanne. Ze laat hem haar polsen zien met de scherpe strook plastic.

'Eigen schuld,' mompelt de man.

'Maak je me los?' vraagt ze. Hij aarzelt, kijkt achter zich.

'Moet je daar toestemming voor vragen?' informeert Sanne kalm.

'Als je slaat of schopt, trap ik je helemaal in elkaar,' waarschuwt hij haar.

'Oké.' Ze steekt haar armen naar hem uit en hij haalt tussen zijn broekriem een mes vandaan. Met een snelle haal van het mes snijdt hij het plastic door. Sanne haalt opgelucht adem en wrijft haar polsen.

'Dank je,' zegt ze. 'Waarom houden jullie me vast?' Hij antwoordt niet, maar loopt achteruit weg en sluit de deur zorgvuldig. De sleutel draait in het slot en de schuif gaat ervoor. Sanne loopt naar het blad met eten. Twee boterhammen met ham en een karaf water. Zal ik eten of niet? Beter van wel. Ik moet op krachten blijven. In conditie, zorgen dat ik klaar ben om te ontsnappen als ik de kans krijg. Ze kauwt plichtmatig op het brood en spoelt het weg met het water. Morgen ga ik wel verder met de inspectieronde, besluit ze. Het wordt snel donker en als ze op het bed gaat liggen, bedenkt ze dat ze een moord zou doen voor een tandenborstel.

Al twee uur zit Rob voor het huis te wachten als zijn telefoon gaat.

'Robbie! Met Cathy! We hebben zo iets leuks bedacht, Wim en ik! We zijn ook een paar dagen vrij en jullie zitten nu toch lekker in jullie vakantiehuisje? We dachten, kom, dan gaan we een dagje of twee naar ze toe! Is dat niet leuk? Ik ga een avond koken en jullie lekker verwennen en we kunnen samen een lange wandeling maken. Heerlijk toch? Het weer is ook overal zo zacht, nu, hè? Ik dacht morgen te komen. Om een uur of elf. Dan gaan we hier op tijd weg, Wim en ik. Want dan hebben we nog wat aan de dag. Anders vind ik het altijd zo zonde, hè. Dan zit je toch zomaar een halve dag in de auto. En je kunt natuurlijk wel zeggen dat de vakantie al een beetje begint op het moment dat je in de auto stapt, maar dat heb ik toch niet zo sterk, hoor. Ik vind het toch meer een middel om je doel te bereiken, hè? Jij ook niet? Is Sanne in de buurt? Vindt zij het ook niet enig?'

'Cathy! Cathy! Luister eens even naar me,' probeert Rob voor de zoveelste keer. Hij krijgt geen speld tussen het verhaal van zijn op hol geslagen schoonzuster.

'Cathy!' Dit klinkt nu zo hard, dat ze eindelijk verschrikt haar mond houdt. Even, tenminste.

'Jongen, wat is er? Je klinkt helemaal niet lekker? Vertel het maar, wat is er aan de hand? Volgens mij bel ik precies op tijd, want ik zei al tegen Willem...'

'Cathy, houd je mond. Sanne is er niet en jullie zijn niet welkom. We zitten in een lastige situatie en ik kan jullie er absoluut niet bij hebben. Snap je?' Terwijl Rob dit zegt, beseft hij dat hij het helemaal verkeerd aanpakt. Natuurlijk trapt zijn schoonzuster hier niet in. Nu wil ze precies weten waar Sanne is en waaruit die lastige situatie bestaat.

'Cathy! Hou je mond en geef me Willem even, wil je?' brult hij dwars door haar geratel heen.

'Nou ja,' sputtert Cathy door de telefoon.
'Geef me Willem. Nu!' gebiedt Rob.
Even hoort hij geen enkel geluid. Dan meldt zijn zwager zich met: 'Hé Rob! Wat is er aan de hand, joh?'

'Luister goed en probeer me niet te onderbreken, oké?' zegt Rob. Hij vertelt precies wat er gebeurd is en voegt eraan toe: 'Natuurlijk moet je Cathy ook vertellen wat er aan de hand is. Maar doe dat zo tactisch mogelijk, wil je? Ze is tot alles in staat en de politie mag hier niets van weten. Echt, ik heb alles onder controle. Zo gauw ik Henk Takken aan de telefoon heb gekregen, is alles geregeld en dan is Sanne terug. Dus hou Cathy alsjeblieft in toom, Willem.'

'Ik zal mijn uiterste best doen,' zucht Willem. 'Maar, jongen, wat een rotsituatie.'

'De hulptroepen arriveren op dit moment, gelukkig,' ziet Rob. De auto van Wichard komt het pad op gereden en Willem constateert: 'Dan ben je tenminste niet meer alleen. Als ik iets voor je kan doen, bel je me, hè?'

'Doe ik,' belooft Rob. Hij klikt de verbinding weg en loopt achter Hazel aan op de auto af. Schaapje laat zich er al uit zakken, aait de labrador over haar kop en loopt daarna op Rob af om met haar beide handen zijn hand te schudden. 'Jongen toch, dat bezoekje heeft inderdaad geen geluk gebracht, hè? Ik moest er de hele weg aan denken.' Rob herinnert zich haar felle reactie op zijn aankondiging van het bezoek aan de gevangenis.

'Nee. Inderdaad. Kom gauw verder. Ik ga koffie zetten,' nodigt hij uit.

Wichard heeft de tassen al uit de kofferbak gehaald en zegt: 'Goed idee. Het is toch een hele rit. Ik heb barstende hoofdpijn. Weet je al iets meer?'

'Geen echt nieuws, nee. Maar zelf heb ik wel al iets geconcludeerd. We hebben het er straks over.'

Een halfuurtje later zijn Wichard en Schaap geïnstalleerd en zitten ze gedrieën aan tafel met koffie en broodjes. De discussie barst pas goed los als Rob vertelt dat de ontvoering eigenlijk draait om het zwijgen van Henk Takken.

'Dus die ga jij morgen bellen?' vraagt Wichard sceptisch.

'Nee. Ik ga morgen bellen of ik hem mag bellen. Of een verzoek doen om door hem gebeld te worden. Het ligt allemaal heel lastig,' legt Rob uit.

'En hoe weet die bende dan dat Takken inderdaad keurig zijn mond houdt?'

'Misschien is dat een erecode in die kringen. Beloofd is beloofd, of zo,' zegt Rob.

'Dat geloof je zelf niet eens,' schudt Wichard zijn hoofd.

'Nee. Eigenlijk niet,' beaamt Rob. Waarop Schaap, die tot dan toe haar mond heeft gehouden en met kleine slokjes bijna afwezig van haar koffie leek te genieten, plotseling rechtop gaat zitten en luid en duidelijk meedeelt: 'Die Takken moet dood.'

Er valt een stilte. Dan knikt Rob: 'Dat heb ik ook zitten denken.'

'Dus moeten we nu een plan bedenken hoe we die man om zeep gaan helpen,' zegt Schaap laconiek.

'Dan meent u toch niet?' vraagt Wichard ontzet.

'Nou en of. Kom, ik ga naar bed. Morgen weer een dag. Wie weet wat voor goede ideeën in onze dromen tot ons komen,' zegt Schaap. Ze klimt de trap op, zegt nog een keer: 'Welterusten,' en verdwijnt in haar kamer.

'Ze heeft gelijk,' zegt Rob.

'Dus wij moeten een plan bedenken hoe we iemand in de gevangenis om het leven gaan brengen. En als ons dat niet lukt, krijg ik mijn moeder niet terug.' Wichard bijt op zijn lip om opkomende tranen te bedwingen.

'Laten we proberen wat te slapen. Schaap heeft gelijk. Ik kan van vermoeidheid en hoofdpijn nu helemaal niet meer denken,' vindt Rob.

Als hij later een rondje loopt om Hazel nog even te laten plassen, kijkt hij naar de sterren. Waar zou Sanne zijn? 'Waar ben je,' fluistert hij in het duister. En ook bij Rob verschijnen er tranen in zijn ooghoeken.

Sanne is dankbaar als er wat licht verschijnt door de stalraampjes. Ze gaat rechtop zitten en wrijft over haar rug. Ik ben vies. Jak. De hele nacht in haar kleren geslapen en nu die emmer gebruiken... Maar het moet. Ze overwint haar tegenzin en zet de emmer achter de deur, zodat niemand haar kan zien als de deur plotseling opengemaakt zou worden.

'Dit is walgelijk,' zegt ze hardop. Ze spoelt haar handen af in de wasbak en frist met haar natte handen haar gezicht wat op. Hoe lang moet dit duren? Dit is toch geen doen! Op haar horloge is het pas zes uur, dus het zal nog wel even duren voordat er iemand komt met eten, bedenkt ze. Ze luistert aandachtig, maar kan behalve vogelgeluiden niets horen. Of toch? Ze hoort verkeer. Een zwaar geluid, alsof er een groot landbouwvoertuig in de verte rijdt. Stel, dat ie deze kant op komt? Ze bedenkt zich geen moment. Ze gaat in de richting van de raampjes staan, haalt diep adem en roept uit alle macht: 'Help! Help! Brand! Brand!' Ze gilt zo hard, dat ze niet eens hoort dat de deur opengaat. De man, die haar de avond ervoor eten bracht, stormt binnen, pakt haar vast en houdt zijn hand over haar mond.

'Stil!' gebiedt hij.

'Oké,' gebaart Sanne. Hij laat haar los.

'Wat doe je?' vraagt hij.

'Om hulp roepen,' zegt ze. Even ziet ze zijn mond trekken, alsof hij zijn lach wil inhouden bij haar simpele antwoord.

'Je riep 'brand'!'

'Dat schijnt beter te werken, heb ik eens gelezen,' zegt Sanne laconiek. 'Hoe heet jij eigenlijk?'

De man kijkt Sanne spottend aan en loopt zonder haar uit het oog te verliezen naar de deur.

'Ho! Niet weglopen! Waarom houden jullie me hier vast? Ik ben helemaal niet rijk of zo, dus het moet wel een vergissing zijn. Praat met me! Leg het me uit!' Tot haar woede voelt ze tranen in haar ogen schieten. Verdorie. Hou je kop erbij. Niet instorten nu.

De man aarzelt even. Dan zegt hij: 'Ik weet het niet. Je krijgt straks brood. Met koffie.'

'En schoon ondergoed? En een tandenborstel en een kam, handdoek, washandje, schone kleren en iets te lezen,' somt Sanne stoer op. Als je me niet vertelt waarom ik hier zit, ga ik maar bestellingen opgeven, bedenkt ze verontwaardigd. De man staat weer stil. Zijn mond zakt open.

'Wat?' vraagt hij stomverbaasd.

'Ja, het is een heel lijstje. Als je me papier en pen brengt, schrijf ik het wel even op,' biedt Sanne aan. Ze laat zich op het bed zakken en krijgt het tot haar tevredenheid voor elkaar om de man rustig en superieur glimlachend aan te kijken. Hij schudt verbaasd zijn hoofd en verdwijnt. Nog geen drie tellen later hoort ze stemmen van andere mannen. Ze schreeuwen tegen elkaar in het Italiaans en in een Slavische taal. De Italiaanse vloeken kan ze verstaan en ze grijnst tevreden. Ze hebben ruzie om haar bestelling. Mooi. 'Ik ga het jullie niet gemakkelijk maken,' zegt ze hardop tegen de emmer. 'Toiletpapier. Niet vergeten te noteren straks. En een nagelvijl.'

Juffrouw Schaap heeft een wandelkaart op tafel gelegd en strijkt er met haar hand overheen.

'Ik zat te denken dat ze hier ergens in de buurt moet zitten. Volgens mij is ze niet ver weg. Het is natuurlijk maar een gevoel,' zegt ze tegen Wichard.

Rob belt met de gevangenis en dient een officieel verzoek in om Henk Takken te spreken of hem naar zijn mobiele nummer te laten bellen.

'Staat genoteerd, meneer,' zegt een aardige stem. Daar kan hij het mee doen. 'Nu is het afwachten,' zegt hij vermoeid. Hazel likt zijn hand alsof ze hem wil troosten.

'Jij bent ook in de war hè? Nu het vrouwtje weg is,' zegt Rob verdrietig.

'Ik pak m'n pendel,' kondigt Schaap aan. Even later zit ze met haar pendel van bergkristal boven de kaart. Wichard kijkt geboeid toe, maar Rob haalt zijn schouders op.

'Wat wilt u eigenlijk? Dat we straks achter die pendel aanhollen op zoek naar Sanne?' vraagt hij spottend. Maar als Schaapje even opkijkt van haar bezigheden en hem met een priemende blik vraagt: 'Heb jij een beter idee, dan?' zwijgt hij. Bram komt binnenvallen en groet het gezelschap.

'Al iets gehoord?' vraagt hij aan Rob. Die schudt zijn hoofd. 'Ik heb erover liggen denken,' vervolgt Bram. 'Als ze zeggen dat die Takken moet zwijgen, bedoelen ze dan eigenlijk niet iets heel anders?' Hij kijkt Rob een beetje verlegen aan, alsof hij iets heel idioots heeft gezegd. Maar Rob knikt meteen en beaamt: 'Tot die conclusie zijn wij ook gekomen.'

'Hoe moet dat dan?' vraagt Bram hulpeloos.

'Geen idee. Ik heb geen contacten in de wereld die dat soort klusjes opknappen,' verzucht Rob cynisch.

'Nou, dan ga ik maar weer. Als ik helpen kan?' Bram kijkt een beetje hulpeloos om zich heen.

'Dan hoor je het,' belooft Rob.

'Ho!' roept Schaapje. 'Wilt u hier eens komen kijken? U kent de omgeving toch goed? Ik heb hier een pand. Kent u dat misschien?' Ze wijst op een blokje op de wandelkaart. Bram kijkt en loopt met zijn vinger langs de wegen en paden, mompelend: 'Dat moet toch Grand Brû zijn, of is het misschien... Ik weet het niet, werkelijk niet. Weet u, ik ben niet zo'n wandelaar.' Hij schudt zijn hoofd en vist een verfrommeld pakje sigaretten uit zijn borstzak.

'Maar u weet wel waar het is?' vraagt Schaapje ineens heel vastberaden. Bram knikt.

'Dan rijden we erheen. Hazel mee,' besluit Schaap.

'Gekkenwerk,' oordeelt Rob.

'Op dit moment is niets normaal,' pareert Schaap.

Even later rijden ze met z'n vieren in de terreinwagen door de streek.

'Dit pad is het,' wijst Bram. Rob parkeert zijn auto even verderop in de berm. Ze stappen uit en bekijken de afslag.

'Het is te doen,' oordeelt Bram.

'Ook met een gewone personenauto?' vraagt Rob. Bram kijkt zuinig.

'Met een beetje mazzel misschien,' zegt hij.

'Dan kunnen ze hier niet zitten. Er zaten mannen in dat Opeltje en Sanne moet wel achterin gelegen hebben. Zo zwaar beladen en dan over zo'n pad? Nee...' concludeert Rob. Juffrouw Schaap staat peinzend in de richting van het pad te kijken. Ze pakt twee takken van de grond, neemt die tussen haar handen en sluit haar ogen. Rob staat op het punt iets te zeggen, maar krijgt een por van Wichard. Als Schaapje een stukje het pad oploopt met de takken als een soort wichelroede in haar handen, sist Wichard tegen Rob: 'Je moet ophouden met je opmerkingen over juffrouw Schaap. Anders had je me haar niet mee moeten laten nemen. Laat haar nu maar haar gang gaan. Ze heeft het vaker bij het rechte eind gehad dan jij met al je escapades.' Rob kijkt hem verbijsterd aan.

'Ja, ik meen het. Ik wil mijn moeder terug en hoe, dat kan me niet zoveel schelen,' bijt Wichard hem toe.

'Je hebt gelijk,' zegt Rob meteen. 'Je hebt helemaal gelijk. Sorry. Ik moet eens stoppen met die scepsis en alle hulp aanvaarden die ik krijg. Sorry.'

'Er is hier iets,' knikt Schaapje. 'Ik ga het pad op.'

'Ik volg u. Houden jullie Hazel bij je,' beslist Rob.

Rob en Schaapje lopen over het holle weggetje tussen een hoge haag van lijsterbes en meidoorn door. Bramen woekeren tussen de struiken en vormen een ondoordringbare wal. Alleen vogels hippen tussen de takken en hier en daar klinkt wat geritsel op de bodem. Verder is alles doodstil. Rob hoort alleen zijn eigen ademhaling. Tot zijn verrassing heeft juffrouw Schaap er goed de pas in; hij moet zijn best doen haar bij te houden op het hobbelige pad. Als het pad een kromming maakt, staat ze even stil. Voetje voor voetje lopen ze nu verder en als Rob een huis ziet staan achter hoog fluitenkruid en andere wilde planten, houdt hij zijn adem in. Schaapje houdt even waarschuwend haar wijsvinger voor haar lippen en Rob knikt. Ze sluipen naar het huis en Rob ziet dat er in een stuk vochtige grond een duidelijke afdruk staat van een autoband. Maar er staat geen auto geparkeerd en het kleine huis ziet er verlaten uit. De ramen zijn dichtgetimmerd met planken en in het dak zitten gaten. Ze lopen rond het huis en bij de achterdeur probeert juffrouw Schaap of er misschien beweging in zit. Tot Rob's stomme verbazing gaat de deur zonder veel moeite open, sterker nog, hij maakt geen enkel geluid. Schaapje pakt de twee takken weer als een wichelroede vast. Ze kijkt en voelt wat er gebeurt. Dan schudt ze haar hoofd. 'We kunnen praten. Hier is niemand. Maar wel geweest. Even binnen neuzen?' Rob knikt. Hij volgt haar zwijgend. Het huis is totaal leeg. Er staan geen meubelstukken en niets wijst op bewoning. Toch loopt Schaapje rond alsof de muren haar verhalen vertellen.

'Wat weet u nu dat ik nog niet weet?' vraagt Rob nederig.

'Ze hebben hier geslapen. Misschien konden ze nog niet terecht in het pand waar ze Sanne nu vasthouden. Geen idee. Maar ze waren hier. Kijk, je ziet afdrukken van slaapmatjes op de planken.' Na de woorden van Wichard twijfelt Rob er niet meer aan dat Schaapje het bij het rechte eind heeft en dat de ontvoerders van Sanne inderdaad hier geweest zijn.

'Nu het huis nog vinden waar ze echt zit,' zegt hij hoopvol tegen Schaap. Die zegt niets terug en samen lopen ze in stilte terug naar de auto.

Sanne veert op als ze de deur open hoort gaan. De man heeft een blad met brood, kaas en koffie.

'En pen en papier?' vraagt Sanne. Hij schudt zijn hoofd.

'Dat vinden ze onzin.'

'Ik stink nu al,' vindt Sanne. Hij grijnst.

'Valt wel mee.'

'Jij stinkt ook,' zegt Sanne eerlijk. Hij kijkt meteen weer strak, zet het blad op de grond en verdwijnt.

'Is er boven ook geen douche?' roept Sanne hem na. Met tegenzin kauwt ze op het brood met kaas. De zwarte koffie is heet en sterk en biedt een beetje troost. Eén dag. Ik moet iets in de muur kerven om de tijd bij te houden. Zo lang zal het wel niet duren, maar voor ik de tel kwijtraak... Ze pakt de geëmailleerde mok en kerft met het oor van de beker een streep in de gekalkte muur.

De temperatuur loopt snel op. Hazel ligt hijgend in de schaduw van de parasol en Rob zit met Wichard aan de tuintafel de krant te lezen. Juffrouw Schaap heeft de koelte van haar slaapkamer opgezocht om een dutje te doen.

'Het is zo zonde van de tijd,' mompelt Rob ongedurig.

'We kunnen op dit moment toch niks doen. Of nog eens overleggen of het misschien wel zinvol zou zijn de politie erbij te halen,' oppert Wichard.

'Ik zat er ook aan te denken. Dan gebeurt er tenminste weer wat,' beaamt Rob. Op dat moment rinkelt zijn mobiele telefoon. Zenuwachtig kijkt hij op de nummermelder en als hij daar geen melding van een bekend nummer krijgt, neemt hij gespannen op.

'Henk Takken! Dat is snel! Fantastisch!' zegt hij enthousiast, als hij hoort wie er belt. Wichard zit meteen rechtop om geen woord te missen.

'Nee, het gaat niet om het onderzoek. O, is er al een laborant geweest voor wangslijm? Dat is mooi. Dan horen we het wel. Ik bel voor iets anders. Luister.' Rob legt uit en af en toe merkt Wichard dat Takken een korte vraag stelt, maar hem zo weinig mogelijk onderbreekt. Dan zegt Rob: 'Ja, die conclusie hebben wij ook getrokken.' En tegen Wichard: 'Hij zegt ook dat ze hem dood willen hebben.' 'Hè? Nee, dat zei ik tegen Wichard. Dat is Sannes zoon. Met hem zit ik nu min of meer plannen te maken hoe ik je om zeep moet helpen.' Rob lacht even bitter. 'Je hebt geen vrienden gemaakt, geloof ik.' Takken is langdurig aan het woord en daarna zegt Rob: 'Oké. Morgen. Ik hoop het. Alvast bedankt.' Hij verbreekt de verbinding en zegt tegen Wichard: 'Takken gaat erover nadenken. Hij is sowieso niet van plan om iets te vertellen dat voor deze groep mensen belastend zou kunnen zijn, want daar zitten grote jongens achter met wie hij het niet aan de stok wil hebben. Maar die belofte zullen ze niet van hem aannemen op zijn erewoord en zijn mooie blauwe ogen. Hij gaat erover nadenken en belt me morgen weer.'

'Dan zijn we weer een dag verder,' verzucht Wichard. 'Hoe zou het met mam zijn?' Dan rinkelt de telefoon weer. Rob neemt op. 'Hé, Paultje! Hoe is het met jou!' roept hij gemaakt enthousiast, als hij gehoord heeft wie er aan de lijn is. Maar hij kijkt ontzet naar Wichard, pakt een pen van tafel en schrijft op de rand van de krant: 'Rechercheur!!!!!'

'Luister, Rob,' zegt Paul de Geus. 'Om maar meteen met de deur in huis te vallen; wij luisteren alle gesprekken van Henk Takken af. Dus we weten dat Sanne weg is. Ik heb overleg gehad met de Belgische politie en we komen naar je toe.'

'Ik mocht geen politie inschakelen,' zegt Rob verslagen.

'Dat zeggen ze altijd. Maar niemand kan zoiets in zijn eentje afhandelen,' werpt De Geus tegen. 'We willen alles horen wat je weet. Zonder ons kom je geen stap verder. Dus tot later.' Hij wacht niet tot Rob iets terugzegt, maar hangt meteen op.

'De politie luistert Henk af. Ze weten alles,' zegt Rob verslagen tegen Wichard.

'Dan hoeven wij meteen niet meer na te denken of we ze in moeten schakelen of niet,' zegt Wichard. Er klinkt opluchting in zijn stem en Rob vraagt: 'Jij vindt het wel goed, hè?' Wichard knikt. 'Zij hebben dat soort zaken vaker aan de hand. Ik vind het echt een fijn idee dat mensen met ervaring zich hiermee gaan bemoeien. Nu komt er vast schot in.'

'Misschien heb je wel gelijk. Ik hoop het,' verzucht Rob.

Er gebeurt niet veel door de hitte. Ze hangen aan de tafel onder de parasol en Rob merkt op: 'We kunnen niets doen. Alleen langzaam gek worden.'

'Daar begint het hard op te lijken,' knikt Wichard.

Als er een auto stopt, veren ze allebei op. 'Het is Bram,' ziet Rob. De conciërge stapt uit en opent eerst de achterklep om zijn hond te bevrijden. Hazel sprint meteen op Beau af en samen rennen ze rondjes alsof er totaal geen hittegolf heerst. Bram heeft duidelijk wel last van de warmte. Hij sjokt op hen af, zijn voorhoofd deppend met een grote, witte zakdoek.

'Ik ben gebeld. Door de gendarmerie,' kondigt hij meteen aan.

'O?' Wichard en Rob kijken hem nieuwsgierig aan.

'Ik moet aan het eind van de middag op het bureau komen voor een uitgebreid onderzoek. Ze weten ervan, hè?'

Rob knikt. 'Ik ben ook gebeld. Er komt een rechercheur uit Nederland hierheen. Mijn telefoontje met Henk Takken is afgeluisterd.'

'Potverdrie,' sist Bram. 'Wat nu?'

'Alles vertellen wat je weet. We kunnen hier toch niet meer onderuit. We kunnen alleen maar hopen dat ze ons echt kunnen helpen en dat het Sanne niet in gevaar brengt,' zegt Rob.

'Jongen, wat een toestand,' blaast Bram. Hij laat zich op een stoel zakken en samen blijven ze zwijgend zitten.

Na een halfuurtje staat Bram op en zegt: 'Tot kijk.' Hij fluit Beau, laat hem achter in de auto springen en vertrekt.

'Goeie vent,' bromt Rob.

Wichard zegt: 'Hier zou mam de slappe lach van krijgen. Een halfuur niets tegen elkaar zeggen en dan opmerken: 'Goeie vent'.'

'Ja, Sanne zou gieren,' beaamt Rob. Triest kijken ze elkaar aan.

'Die machteloosheid is zo erg,' zegt Rob nog maar eens.

Binnen klinkt gestommel en even later verschijnt Schaapje op het terras met een grote pot thee en schijfjes citroen.

'Goed met die hitte,' prijst ze aan. 'Ik heb nog een ketel opgezet, want ze komen er zo aan.' Wichard en Rob vragen niet eens wie juffrouw Schaap bedoelt, in het besef dat Schaap alweer van alles op de hoogte is. Wel vraagt Rob: 'Is het gunstig?'
'Ja. Wij kunnen toch niet verder komen. De opening in deze zaak ligt bij Henk Takken. Ik heb er nu een duidelijk idee over,' antwoordt Schaap.
'Welk idee?' vraagt Wichard. Maar Schaapje schudt haar hoofd. 'Straks hebben we het erover. Met z'n allen.' Ze gaat weer naar binnen om brood te smeren. Als ze terugkomt zet ze met een klap een dienblad vol belegde boterhammen op tafel en ze zegt: 'Een hongerige buik heeft geen oren, wie nu niet eet, kan straks niet horen.'
'Spoel het maar weg met thee,' raadt Wichard Rob aan, als hij ziet hoe moeizaam die zit te kauwen.
Rob schudt moedeloos zijn hoofd. 'Ik krijg het niet weg,' verzucht hij.
'Eet,' gebiedt Schaap streng.

Op camping 't Raetsel zwaaien Daan en Abel de scepter.
'Dat doen we reuze goed, jongen,' prijst Daan, als de inkopen voor het restaurant geregeld zijn.
'Dat doen we fantastisch,' zegt Abel tevreden. 'Zullen we het zwembadwater een keertje extra zuiveren? Het is daar nu zo druk met die hitte. Fantastisch dat dat allemaal gestuurd wordt via de computer.' Eén klik met de muis is genoeg. Op het drukke kampeerveld begint de sprinklerinstallatie te werken.

Sanne ligt languit op het bed. Achter de hoge ramen ziet ze hoe het licht langzaam verdwijnt. Straks weer een nacht. Ze probeert zich teksten te herinneren van liedjes die ze niet helemaal meer weet. Het wordt een sport om de woorden compleet te krijgen. 'Die kleurde zo mooi bij haar wit mousseline... Ze was nog zo jong, zo verschrikkelijk jong, in die zomer van 1910.' Ze zingt het half hardop, mooi liedje van Wim Sonneveld. Als ze die heel bijzondere uitspraak van Sonneveld nadoet, voelt ze ineens een golf van emotie. 'Je moet ook niet van die trieste liedjes zingen,' zegt ze hardop tegen zichzelf. 'Hallo! Is daar iemand? Is er geen animatieprogramma voor de gasten?' In een opwelling roept ze maar wat. Deels in de hoop dat er iemand reageert en deels om de afleiding waardoor ze zich kan vermannen. Diep ademhalen. Goed zo. Stelletje idioten. Straks weer een nacht. En waarom? Maar achter de deur blijft alles stil. Misschien zijn ze wel weggegaan, bedenkt ze opeens in paniek. Misschien hebben ze me gewoon achtergelaten. Alleen. Zonder eten. O god! Ze gaat rechtop zitten en weet het opeens zeker. Ik ben hier helemaal alleen.

Als Paul de Geus eenmaal arriveert, worden Rob, Wichard en juffrouw Schaap totaal overrompeld door de overmacht waarmee de politie op de ontvoering van Sanne duikt. De Geus legt uit: die meneer is door Binnenlandse Zaken afgevaardigd, vanwege de gevoelige informatie die Henk Takken heeft over iedereen die heeft meegewerkt aan wapenleveranties aan foute regiems, dat groepje mensen is extra mankracht voor sporenonderzoek, die jongens met de geluidsapparatuur vormen een eenheid die zich bezighoudt met het opsporen van telefoontjes, die daar is een hoge ambtenaar van de AIVD, zeg maar de veiligheidsdienst, dan hebben we nog iemand voor de coördinatie tussen de Belgische en de Nederlandse politie en tot slot nog wat Waalse agenten in burger.
'En ik, zei de gek,' besluit De Geus met een glimlach. Het hele circus zoekt een plek in het kleine vakantiehuis van Rob en begint allerlei dingen uit te stallen, op te zetten en te installeren. Wichard kijkt verbijsterd toe en vraagt: 'Is dit normaal?'
'Ja, dit is heel normaal,' verzekert De Geus hem. 'Behalve mis-

schien de veiligheidsdienst en Binnenlandse Zaken. Maar verder hebben we iedereen hard nodig. Geloof mij maar,' en tegen Rob: 'We beginnen eerst met jouw getuigenverklaring.'

'Ho,' zegt Schaap. 'Voor het zover is, wil ik eerst om tafel met die meneer van de veiligheidsdienst, die meneer van binnenlandse zaken en met jou. En Rob en Wichard natuurlijk. Vijf, tien minuten. Meer heb ik niet nodig. Behalve misschien een kop koffie erbij en rust om ons heen. Dus die hele toestand mag op het terras gaan zitten.'

'Mevrouwtje, u runt de show niet,' zegt De Geus neerbuigend. 'Rob, we gaan daar even zitten. Dan zitten we niemand in de weg.' Hij wijst op de bank en Rob aarzelt even. Dan zegt hij: 'Het is misschien verstandig om op de suggestie van jufrouw Schaap in te gaan.'

'Als we tijd hebben, zullen we heus naar iedereen luisteren. Wat is ze eigenlijk van jou? Je tante?'

'Ze werkt op de camping. In de huishoudelijke dienst,' vertelt Rob, terwijl hij achter Paul aanloopt naar de door hem aangewezen plek.

'De schoonmaakster,' concludeert Paul.

'Met een heldere kijk op alles. Het is echt beter om eerst even met het gezelschap dat juffrouw Schaap net aanwees om tafel te gaan zitten,' probeert Rob nog een keer.

'Wij bepalen het protocol,' verbetert Paul de Geus hem. Hij keert zich om, wijst naar Wichard en zegt: 'Jij bent na Rob aan de beurt. Je kunt zo lang buiten wachten.'

Wichard staat zich enorm te ergeren aan het optreden van De Geus. Hij meldt kortaf: 'Ik weiger alle medewerking. Eerst een gesprek om de tafel, zoals juffrouw Schaap voorstelde.' Tegen Rob zegt hij: 'Als je verstandig bent, sluit je je nu bij mij aan.'

'Je hebt gelijk,' beseft Rob. Hij staat op van de bank, loopt terug naar tafel en gaat zitten.

'Eerst dat gesprek,' zegt hij.

'Wij hebben een draaiboek en dat volgen we,' zegt De Geus afgemeten.

'Ik heb je hier niet uitgenodigd en ik heb niet eens aangifte gedaan van ontvoering,' zegt Rob. 'Dus jullie kunnen wat mij betreft wel gaan.'

'Jullie hebben je gemengd in een zaak waarbij de veiligheid van de staat in het geding is. Iedereen die in verband met de aanklacht tegen Henk Takken betrokken raakt, krijgt alle aandacht van ons. Daar kan hij van verzekerd zijn,' zegt de man van de veiligheidsdienst.

Rob haalt diep adem.'Dat is erg aardig, maar ik zit niet op aandacht te wachten. Als u meent dat u een aanklacht tegen mij kunt formuleren, dan hoor ik dat graag van u. Als dat niet zo is, dan beschouw ik uw aanwezigheid hier als een vorm van overleg om mijn vrouw terug te krijgen. Dat overleg wil ik nu graag voeren. Onder leiding van juffrouw Schaap, hier aan tafel.' Bij het woord 'hier' slaat hij op tafel en kijkt alle aanwezigen scherp aan. Als hij ziet dat De Geus bijna onmerkbaar knikt, gaat hij rechtop staan en zegt met luide stem: 'Iedereen die niet bij het overleg is uitgenodigd, mag buiten van de zachte zomeravond genieten. Het zal niet lang duren, verwacht ik.'

Als het kleine gezelschap aan tafel zit, steekt juffrouw Schaap van wal. Ze schetst helder wat de ontvoerders willen.

'Takken moet dus dood. Wij zien daar geen kans toe. Maar u wel, nietwaar? Ik weet dat Takken schoon schip wil maken, maar dat hij een zetje in de rug nodig heeft. Eigenlijk is dit voor jullie een uitgekozen moment. Leg hem het volgende voor: hij vertelt alles wat hij weet in ruil voor een plechtige uitvaart en daarna via de achterdeur een nieuwe identiteit en een nieuw leven in een ander land. Daardoor krijgt zijn zoon Rob zijn vrouw terug. Als jullie het zo aanpakken, snijdt het mes aan twee kanten. Gaan jullie op de traditionele manier aan de slag, dan is de kans groot dat Takken niets vertelt. De kans dat we Sanne niet levend terugzien, wordt op die manier ook steeds groter. Ik zou zeggen: overleg even met elkaar. Misschien moeten jullie even wat rondbellen. We laten jullie even alleen.' Ze knikt de heren toe, geeft dan Wichard en Rob een seintje, die opstaan en met haar naar buiten gaan.

'U bent briljant,' mompelt Rob.

'Het is zo logisch allemaal. Glashelder. Als Takken nu maar wil,' zegt Wichard zenuwachtig.

'Die wil wel. Vraag is of de heren het aandurven. Iemand moet de minister om toestemming vragen. Altijd riskant,' zegt Schaapje.

'Ze weten het al,' wijst Wichard. De man van de AIVD komt als eerste naar buiten.

Sanne huilt. Ze hebben me alleen gelaten, weet ze zeker. Ze zit hier opgesloten en niemand weet waar ze is. Het huis ligt zo afgelegen dat het niet helpt om te schreeuwen. Alles is doodstil. Nu pas beseft ze dat ze eerder wel geluiden hoorde. Geluiden van mensen die in een huis wonen. Ze hoorde deuren, water uit een kraan, voetstappen nu en dan. Geluid van borden en kopjes, een auto soms. Heel vaag en ver weg vaak, maar toch was het er. Nu is alles doodstil. Ze is alleen en het is donker.

Schaapje, Wichard en Rob zitten op het terras.

'Blij dat dat circus weer weg is,' zegt Rob tegen Paul de Geus, die als enige achtergebleven is.

'Ik heb zelden meegemaakt dat er zo snel een knoop is doorgehakt. Meestal gaat dat een stuk trager in het ambtelijke wereldje. Maar ze willen dolgraag informatie van Henk Takken. Daar hebben ze heel wat voor over en gek genoeg biedt de ontvoering van Sanne juist een opening daarin.'

'O ja, we hebben heus niet de illusie dat de minister meteen instemde ter wille van Sanne,' smaalt Wichard.

'Ik snap wel dat dat jou pijn doet. Maar in zo'n geval gaat het nooit om een individu. Dan moet er een veel groter belang op het spel staan,' probeert Paul uit te leggen.

'Misschien krijgt Sanne na afloop wel een lintje van Hare Majesteit,' sneert Rob. 'Voor het feit dat ze zich heeft laten ontvoeren en daarmee uiteindelijk het landsbelang heeft gediend.'

'Maak maar geen cynische grapjes. Voorlopig weten we nog niet eens of Takken wel akkoord gaat met het voorstel,' waarschuwt Schaap. Zwijgend kijken ze naar de sterren. Alweer een nacht, denkt Rob somber.

Als Sanne haar ogen opendoet, weet ze het weer. Er klinkt geen enkel geluid. Ze is nog steeds alleen. Hoe lang kun je zonder eten? Ze heeft in ieder geval water. Ze loopt naar de kraan en draait hem open. Ja. Er is water. Maar als dat nu eens wordt afgesloten? Wat dan? Hoe lang zou ze het dan uithouden? Met een dikke keel van angst loopt ze naar de muur om er een streepje bij te zetten. Alweer een dag. Nog nooit heeft ze in een huis gezeten waar het zo angstaanjagend stil is als hier. Zelfs in de verte klinkt geen geluid. Helemaal niets. Een verpletterend geluidsvacuüm. Ze houdt haar polsen onder het koude water en wast haar gezicht. Laat er geluid zijn als ik de kraan dichtdraai, bidt ze. Maar het blijft stil. Doodstil.

Yvonne ziet het meteen als ze Rinke uit bed haalt. Dat is kauwgom. 'Wat heb je nu gedaan?' vraagt ze aan de kleuter die nog slaapdronken op haar bed zit.

'We hebben gesnoept, gisteravond,' bekent Renée meteen. Ze slaapt bij Rinke op de kamer en ziet direct wat haar moeder bedoelt met haar vraag. Rinke lijkt het nu ook te voelen. Haar handje gaat naar haar krullen, waar een enorme bonk kauwgom in vastzit.

'Dat is zeker uit je mond gevallen, toen je in slaap viel,' giechelt Renée.

'Gaat dat eruit?' vraagt Rinke bezorgd. Yvonne zucht eens diep.

'We gaan het proberen. Als het niet lukt, bellen we je vader wel,' besluit Yvonne. Een kwartiertje later heeft ze haar poging om de kauwgum uit Rinkes krullen te krijgen al opgegeven. Ze belt Wichard en legt hem kort uit wat er aan de hand is.

'Er zit niets anders op. Ik moet het eruit knippen, maar het wordt dan wel een jongenskoppie. Dus ik wilde je toch even bellen,' zegt Yvonne.

'Knip maar af,' besluit Wichard. 'Dat groeit wel weer aan.'

'Ik zal maar niet vragen of jullie al meer weten, hè?' aarzelt Yvonne.

'Nee. Vraag maar niks. We hopen zo snel mogelijk iets meer te kunnen zeggen,' zegt Wichard.

Paul de Geus loopt heen en weer op het pad voor de bungalow, hij telefoneert druk met allerlei contactpersonen om de eerste te zijn die te horen krijgt hoe de zaak ervoor staat. Af en toe zwaait hij wild naar het terras. 'De minister heeft toestemming gegeven!' 'Nog geen nieuws van Takken. Ze zijn aan het onderhandelen!' Schaapje verbetert het record koffiezetten en Rob en Wichard verbijten zich omdat ze helemaal niets kunnen doen dan afwachten. Dan gaat Robs telefoon. Hij werpt een blik op de display. Onbekend nummer.

'Rob de Wolf,' meldt hij kortaf.

'We willen binnen achtenveertig uur de bevestiging dat de bedreiging uit de weg is geruimd. Anders zie je haar niet meer terug,' zegt een stem met een heel vaag accent.

'Ho! Luister! We werken eraan, maar dat heeft tijd nodig. Jullie moeten begrijpen dat het niet zo eenvoudig is om ervoor te zorgen dat Takken zijn mond houdt. We zijn er druk mee bezig. Echt waar!' De Geus heeft zijn gesprek afgekapt en luistert met Rob mee. Wichard en Schaap kijken gespannen toe. Rob zet snel zijn telefoon op de luidspreker en ze horen nu allemaal hoe de stem zegt: 'Achtenveertig uur. Langer niet. Dan wordt de vrouw een onaanvaardbaar risico en ruimen we haar op. Hou daar rekening mee.'

'Leg het haar uit! Ze zal heus wel meewerken als ze snapt wat er aan de hand is. We hebben echt tijd nodig,' pleit Rob.

Er is geen contact met de vrouw,' zegt de stem. 'Achtenveertig uur. Einde.'

'Maar je zou juist wel...' begint Rob. Dan dringt tot hem door dat het gesprek is afgebroken. Moedeloos kijkt hij de anderen aan. 'Achtenveertig uur,' fluistert hij.

Als Sanne eindelijk een geluid hoort, zit ze meteen rechtop. Zijn er weer mensen in huis? Al voelt ze zich vies en verwaarloosd, ze huilt van blijdschap als de deur opengaat en de man naar binnen komt die haar eten brengt.

'Ik dacht dat ik alleen gelaten was,' snikt ze.

'Hier is brood,' zegt de man. Hij zet een bord neer met brood en worst. Snel kijkt hij haar aan en ze ziet meteen dat hij niet meer zo strak kijkt als alle andere keren. Zijn mond trekt even, alsof hij medelijden met haar heeft.

'Dank je,' zegt ze. 'Ik ben blij dat er weer iemand is.' Nu trekt zijn mond echt nerveus.

'Of moet ik daar niet zo blij mee zijn?' vraagt ze. Hij ontwijkt haar blik, zwijgt en loopt naar de deur.

'Ga niet weg, ga alsjeblieft niet weg,' smeekt ze nu. 'Ik geloof dat ik hartstikke gek word van het opgesloten zitten. Nu al. Er zijn mensen die weet ik niet hoe lang vastzitten. Die Franse journaliste, misschien weet je dat wel, hoe lang zat die niet vast? En vastgebonden ook nog, geblinddoekt, in een grot... Zou je me iets willen brengen? Om te lezen? Het maakt niet uit wat. Of misschien wil je nog even blijven? Alsjeblieft?' Hij staat nog steeds bij de deur en lijkt te aarzelen.

'Hoe heet je?' vraagt ze. Dan keert hij zich om en gaat weg. De deur gaat op slot.

'Oké! Dat vraag ik niet meer. Ik beloof het!' roept ze hem na. Maar de deur gaat niet open en ze dwingt zichzelf om het brood op te eten. Onderwijl probeert ze zich allerlei gedichten te herinneren. Ze zegt versjes op van Annie M.G. Schmidt, die ze ooit uit haar hoofd leerde toen ze nog op de basisschool zat. Die van meester Van Zoeten, die z'n voeten waste in zijn aquarium en van juffrouw Scholten die smolt op de Dam. Woord voor woord komen de versjes terug en ze ziet zich weer staan voor de klas, om ze trots op te zeggen. En later de gedichten die in de bundel *Nederlandse Schrijvers en Schrijfsters* stonden, het standaardwerk van haar mulo. 'Ik ben geboren uit zonnegloren...' De deur gaat open en de man komt weer binnen. Hij heeft een dambord onder zijn arm. Sanne zegt meteen: 'Ik zal geen vragen stellen die je niet wilt beantwoorden. Dat beloof ik.' Hij knikt, legt het bord op de grond en gaat in kleermakerszit op de grond zitten. Sanne volgt zijn voorbeeld en even later zitten ze samen geconcentreerd naar de stenen te staren.

'Dat had ik niet gezien,' verzucht de man, als Sanne hem in de val lokt, een steen offert en meteen een gat slaat in zijn defensie. Ze lacht trots, maar uiteindelijk moet ze alle zeilen bijzetten om er nog remise uit te halen. De man legt de stenen weer in het doosje, pakt het bord op en loopt naar de deur. 'Niet nog een spelletje?' vraagt Sanne. Maar hij schudt zijn hoofd en gaat weg. Sanne laat zich languit op het bed vallen. Weer alleen. Maar er is geluid in het huis en ze probeert zoveel mogelijk op te vangen van alles wat er gebeurt.

Rob loopt zich op te vreten. 'Ik word hartstikke gek. Achtenveertig uur. Wat moet ik doen? Wat moet ik?'
'Rustig aan,' zegt De Geus, die nog steeds aan de lopende band telefoontjes pleegt om er zo snel mogelijk achter te komen wat de reactie van Henk Takken is op het voorstel. 'Mijn superieuren zijn op de hoogte van het telefoontje, dus ze weten dat er haast geboden is. Ik bel net de hoogste baas. Ja!' Hij neemt op. 'Met De Geus, ik wil graag... Wat zeg je? Nee! Dat meen je niet!

Rob! Zet de televisie aan. Ja, oké. Ik bel je terug.' De Geus zet zijn mobieltje uit en loopt achter Rob aan naar binnen. Rob zet de televisie aan en kijkt vragend naar De Geus.

'Zap,' zegt die. 'Ik weet ook niet op welk net.' Twee keer zappen en Rob kijkt verbijsterd naar het gezicht van zijn schoonzuster Cathy, pontificaal in beeld. Jaap Jongbloed zit met een medelijdend gezicht naast haar en zegt: 'Dat is een verdrietig verhaal. Voor jou en voor je familie is het natuurlijk belangrijk dat je zusje terugkomt. Wil je een oproep doen?' Cathy knikt, kijkt met tranen in haar ogen in de camera en zegt: 'Lieve Sanne, ook al is je relatie op het moment niet zo goed, dat is geen reden om weg te lopen.' Op dat moment komt er een groot portret van Sanne in beeld, terwijl Cathy's stem doorgaat: 'Lieve Sanne, kom terug! Kom naar je zoon, naar mij en naar je kleindochter. Laten we er rustig over praten. Heus, er is vast een oplossing. Maar ik maak me zo'n zorgen om je. Bel me. Dag, lieve schat.' 'Nu maar hopen dat we gauw een teken van leven van haar krijgen,' knikt Jongbloed bemoedigend. 'En dan gaan we nu naar de familie Pieterse...' Rob zet de televisie uit en laat zich op de bank zakken.

'Allemachtig,' zucht hij. Wichard, die achter hen aan gelopen is, vraagt: 'Dit heeft toch geen invloed op alles, hè? Dat die ontvoerders hier nerveus van worden of zo...'

'Mijn baas is woest,' meldt De Geus.

'Typisch Cathy,' zegt Schaapje. Ze staart nog steeds hoofdschuddend naar de televisie, waar zo-even het portret van Sanne te zien was, begeleid door de noodoproep van haar zus Cathy. 'Ze moet gewoon iets doen, anders wordt ze gek. Dan kan het haar niet schelen wat. Voordeel hiervan is wel, dat Sanne misschien herkend wordt als ze haar in een auto verplaatsen.'

'Als ze haar levend vervoeren, ja,' zegt Rob somber. 'En niet in de kofferbak. Er is niet veel tijd meer.'
'Ik ga weer bellen,' zegt De Geus. Maar hij stopt meteen als Robs mobiel telefoon rinkelt.

De man komt terug en Sanne kijkt op. Geen damspel. Hij heeft een klein pakje in zijn hand, dat hij haar bijna verlegen overhandigt. Er zit een brief bij, die Sanne meteen openmaakt. In het markante handschrift van Rob staat er: *'Omdat ik vaak makkelijker schrijf dan praat en omdat je het toch met me uithoudt. Ik houd van je.'* Ze kijkt door een waas van tranen naar de woorden en kijkt dan op naar de ontvoerder.
'Zijn jullie bij Rob in huis geweest? Wat hebben jullie gedaan?!'
Ze scheurt het papier van het pakje los en opent het doosje. Oorbelletjes met diamantjes in een antieke zetting schitteren haar tegemoet.
'Wat doen jullie met me?' vraagt ze schor van het ingehouden huilen. 'Willen jullie me gek maken of zo?' De man tikt een nummer in op een mobiele telefoon en drukt haar het apparaat in haar handen.
'Luister,' gebiedt hij.

'Met De Wolf.'
'Rob? Rob! Goddank, je bent in orde. Er is niets met je. O, mijn god, Rob...!
'Sanne? Lieverd, waar ben je? Hoe is het met je? Is alles goed met je?'

Dan heeft de man het mobieltje al uit Sannes handen gepakt en uitgeschakeld. Sanne verbergt haar hoofd in haar handen en snikt met lange halen. Ze hoort niet eens dat de man weggaat en de deur weer op slot draait.

Rob zit geschokt naar zijn mobiele telefoon te kijken. 'Dat was Sanne...' is alles wat hij kan uitbrengen. Op alle vragen van juffrouw Schaap, Wichard en De Geus kan hij geen antwoord geven.

'Ze was bang dat er met mij iets was en we schreeuwden eigenlijk dwars door elkaar heen! Ze klonk zo vreselijk bang, zo intens verdrietig. Wat moet ik doen! Wat moet ik...' Hij klapt dubbel van ellende en hijgt alsof hij geen adem kan krijgen.

'Je moet even liggen. Ik heb een drankje om tot rust te komen,' beslist Schaap. Ze komt even later met een glas thee op hem af en dwingt te drinken. Gedwee volgt hij al haar geboden op en loopt als een zombie naar de slaapkamer als Schaapje gebiedt: 'Rusten.'

'Ik ga wel bij hem zitten,' biedt Wichard aan.

'Prima,' zegt Schaap bezorgd. 'Waarschuw me als er iets aan de hand is.'

De Geus hervat zijn telefonade en belt steeds nerveuzer de halve wereld af. Zijn baas heeft niets te melden en hij smijt geïrriteerd de telefoon op de tafel, terwijl hij naar Schaap sist: 'Het is om gek van te worden.'

'Geduld. Geduld,' zegt Schaapje kalm. Ze loopt met Hazel een rondje om het hoge dennenbos voor het huis en kijkt toe hoe de hond enthousiast rondsnuffelt.

'Geduld...' mompelt Schaap tegen zichzelf.

Als De Geus eindelijk gebeld wordt door de AIVD, zakt hij na de eerste woorden al stomverbaasd op een tuinstoel neer.

'Wat zeg je? Je meent het niet! Serieus? Rob! Wichard! Waar is juffrouw Schaap? Kom eens gauw! Wacht even. Ik zet je op de luidspreker. Wacht tot ze er allemaal zijn en zeg het dan nog eens. Dit gelooft niemand. Hoe kan het!' Inmiddels zijn Rob en Wichard weer buiten, Rob nog warrig en nauwelijks aanspreekbaar. Juffrouw Schaap komt in dribbelpas aangelopen als ze ziet hoe De Geus opgewonden naar haar gebaart.

'Brand maar los, jongen,' roept hij naar de telefoon. 'Dit is Gonzalez van de AIVD. Luister.'

'Kan ie?' vraagt Gonzalez.

'Ja, kom maar door met de boodschap,' grijnst De Geus.

'Oké. Vanmorgen vroeg kreeg Henk Takken plotseling een zwaar hartinfarct. Meteen gingen de bewakers in zijn cel tot reanimatie over, tot de ziekenbroeders arriveerden. Met alle middelen is geprobeerd Takken terug te krijgen, maar het mocht niet baten. Om 08.30 uur is hij volgens de officiële verklaring overleden. Henk Takken werd 75 jaar. Zijn er nog vragen?' Iedereen zwijgt stomverwonderd en iedereen kijkt elkaar aan.

'Dit is toch zeker een grapje?' vraagt Wichard. 'U bedoelt dat Takken inderdaad op het voorstel is ingegaan, toch?'

'Nee, dat bedoel ik niet. Ik maak geen grapjes. Dat verzeker ik u,' zegt Gonzalez ernstig. 'Anders nog iets?'

'Nee, dank je,' schudt De Geus. 'Ik denk dat alles helder is.'

'Ho!' roept Schaapje. 'Takken is dus voor zijn dood niet ondervraagd?'

'Nee. Ik heb hier het logboek en Takken heeft de afgelopen drie dagen geen ondervraging ondergaan,' zegt Gonzalez. 'Hij heeft ook geen bezoek gehad. Er was een mooi plan, maar dat is nooit ten uitvoer gebracht. De dood van Takken heeft roet in het eten gegooid. Ik betwijfel zelfs of het voorstel hem ooit heeft bereikt, want ik denk dat ze zover nog niet eens waren. Het is betreurenswaardig. De man beschikte over een schat aan informatie. Nu neemt hij alles mee in zijn graf. Dat is een bittere pil voor alle betrokkenen.'

'Maar niet voor de ontvoerders,' bedenkt Rob. 'Alleen, hoe komen we met ze in contact?'

'Jongen, dat is niet nodig. Dit is vanavond al op het nieuws,' zegt De Geus opgelucht. 'Dan zullen ze Sanne wel vrij laten.'

Sanne ligt op het bed, het doosje met de oorbelletjes in haar hand. Het briefje van Rob ligt naast haar. Ze heeft haar andere hand boven op het briefje gelegd en beweegt af en toe haar vingers om zeker te weten dat het papiertje er nog ligt. Het is alsof ze voor de laatste keer zijn stem heeft gehoord en de enige tastbare herinnering aan hem in haar handen heeft. Ze is al haar ongenaakbaarheid en bravoure kwijt, voor zover ze die nog bezat. Ze voelt alleen maar wanhoop. Pure wanhoop. In haar hoofd is geen ruimte meer om iets te bedenken. Ze voelt zich ten diepste ellendig en verdrietig.

In het huis van Rob zit het hele gezelschap voor de televisie om in het journaal bevestigd te krijgen dat Henk Takken is overleden. Rob is wat gekalmeerd en zit nu, gesterkt door de speciale koffie van juffrouw Schaapje, gespannen naar de beeldbuis te kijken. Wichard heeft al een paar keer heen en weer gezapt naar teletekst, maar er is nog geen bericht te vinden.
'Niet schrikken als er nog niets naar buiten komt. Misschien hebben ze wel tijd nodig voor het een of ander,' waarschuwt Schaapje, met een bezorgde blik op Rob. Haar waarschuwing lijkt iedereen te ontgaan. Met trillende vingers pakt Rob zijn mok koffie, terwijl de nieuwslezer begint voor te lezen. Een zelfmoordaanslag in Bagdad, begeleid door afschuwelijke beelden van lichamen onder roze dekens, een deskundige die vaststelt dat het beter gaat met de bevers in Nederland, een brand op een veerboot in Azië, overstromingen in Zuid-Frankrijk met weggespoelde campings, en het weerbericht. Verbijsterd kijkt Rob naar de anderen. Wichard kauwt op zijn lip en zoekt nog maar eens teletekst af.
'Mischien in het volgende journaal,' oppert Schaapje. Ze kijkt zorgelijk.
'En als er nu niets over in het nieuws komt? Wat moeten we dan?' Robs stem schiet uit. Hij kan zich nauwelijks beheersen.
'Er zit niets anders op dan af te wachten,' zegt De Geus somber.

Daan en Abel brengen samen de inhoud van de kas naar de bank. 'Wat heeft die Wichard iedere dag een hoop werk. Het zou niks voor mij zijn, zo'n bedrijf. Ik ben nu al doodmoe,' zegt Abel.

'Ik doe de centrale vergrendeling op de auto. Ik ben als de dood dat iemand de deur openrukt en ineens die envelop van mijn schoot afpakt,' zegt Daan nerveus.

'Dit is een dorp, lieve Daan. Zoiets gebeurt hier niet. Bovendien is het heel gevaarlijk om de deuren te vergrendelen. Stel je nu eens voor dat ik het water inrijd. En iemand springt erin om ons te redden. En wij zijn bewusteloos. Dan kunnen ze de deur niet open krijgen en dan verdrinken we.' Daan griezelt van het idee. 'Hou op. Ik krijg er kippenvel van.'

'Zie je die kerel staan bij het loket? Vreemde snuiter,' wijst Abel op een man die voor de bank staat te wachten. Hij staat vlak bij het loket waar je als ondernemer geld kunt storten.

'Die wacht tot er een buit aan komt,' weet Daan zeker. 'Rij door!' Abel geeft gas en ze passeren de bank. De man kijkt hun auto na en Daan piept: 'Zag je dat? Hij verwachtte ons! Hij keek helemaal op z'n neus toen we doorreden!' Abel gaat een zijstraat in en maakt een rondje.

'Nu rij ik er nog een keer langs en als die kerel ook maar aanstalten maakt om naar ons toe te komen, dan bellen we meteen de politie,' besluit hij.

'We hebben toch geen enkel bewijs dat hij iets kwaads in de zin heeft,' aarzelt Daan, terwijl hij nerveus in de envelop vol papiergeld knijpt.

Maar als ze weer langs de bank rijden, zien ze hoe de man ineens opspringt en enthousiast in de verte zwaait. Daar komt een meisje aangehuppeld, een wijde strokenrok aan en haar lange haren in een hoge paardenstaart.

'Sjonge,' moppert Abel.

'Sorry. Ik zit een beetje stemming te maken. Maar ik zie overal gangsters na wat er met Sanne aan de hand is,' zegt Daan verdrietig.

'Geeft niet, schat,' sust Abel. 'Ik snap het best. Ik laat me ook wel heel snel meevoeren in jouw angstige scenario's.'

'Die verdrinking was van jou,' verdedigt Daan zich. En als ze elkaar lachend aankijken, zegt Abel: 'We kunnen er gelukkig

samen nog om lachen. Anders zouden we het niet volhouden.'
Later die avond drinken ze koffie bij Yvonne en vertellen hun
verhaal.
'Ik word ook steeds angstiger. Moet je nagaan wat Sanne nu
doormaakt. Ik word er zo verdrietig van,' zegt Yvonne zachtjes.
'Als ze haar maar niets aandoen,' zegt Daan somber.
'We kunnen er niets aan doen. We kunnen alleen maar afwachten,' zegt Yvonne.
'Het is om gek van te worden,' vindt Abel. Somber kijken ze elkaar aan.
'Laten we maar even gaan kijken bij Rinke en Renée. Daar worden we weer rustig van,' biedt Yvonne aan. Ze lopen achter haar
aan de trap op en kijken samen naar de slapende kinderen. Met
een zucht gaan ze weer naar beneden en nemen afscheid.
'Morgen is er misschien nieuws. Morgen is misschien alles wel
anders,' zegt Yvonne nog, terwijl ze de jongens uitlaat.
'Wie weet,' knikken ze dapper.

De hele avond kijken ze naar het nieuws, Rob, Wichard, juffrouw Schaap en Paul de Geus. Maar er is nog steeds geen item
over de dood van Henk Takken. Alle pogingen van De Geus om
iemand aan de telefoon te krijgen over de reden waarom het mi-
nisterie van Justitie zwijgt over zijn dood, mislukken. Niemand
weet iets of niemand wil iets vertellen. Dan rinkelt Robs mobiele telefoon.

'Nog één dag,' zegt een stem.
'Met wie?' vraagt Rob nerveus.
'Nog één dag.'
'Takken is dood,' roept Rob vertwijfeld. Maar voor hij dat roept,
is de verbinding al verbroken.

'Wat zei hij?' vraagt Paul de Geus.

'Nog één dag,' fluistert hij.

'Wat kunnen we doen? Als de dood van Henk Takken niet in het nieuws komt, is mams leven echt in gevaar,' zegt Wichard wanhopig.

'De politie zit achter die ontvoerders aan. Ze hebben een spoor. En omdat ze nu geen informatie meer kunnen verwachten van Henk Takken, zetten ze alles op alles om die ontvoerders te pakken te krijgen. Zelfs als dat ten koste gaat van het leven van Sanne,' zegt Schaapje ineens helder.

De Geus kijkt haar oplettend aan.

'Dat is scherp opgemerkt. Dat zou best eens kunnen. Maar waarom weet ik daar niets van? Ik ben in eerste instantie op deze zaak gezet.'

'Jij bent een afleidingsmanoeuvre. Vind je het niet gek dat je bijna niemand meteen aan de telefoon krijgt? Ze krijgen allemaal instructies wat ze wel en wat ze niet mogen zeggen. Sommigen van je collega's krijg je helemaal niet te pakken. Logisch, die zijn hard aan het werk. Je zit hier alleen maar om ons rustig te houden,' zegt Schaap.

De Geus wrijft over zijn voorhoofd en denkt na. Dan kijkt hij Rob en Wichard aan en zegt: 'Ze heeft gelijk. Dit is allemaal vooropgezet. Ze willen die informatie om allerlei grote jongens te pakken te krijgen. Ze denken ook dat Takken connecties had met terroristische cellen, aan wie hij grondstoffen voor explosieven leverde. Het is een internationale zaak en heel wat regeringen kijken toe hoe Nederland dit oppakt. Door de dood van Henk Takken zijn ze hun troef kwijt. Als ze de ontvoerders te pakken krijgen, vinden ze misschien hun opdrachtgevers. Het is hun enige kans.'

'Dan moeten ze weten waar Sanne ongeveer zit. Anders heeft het geen zin,' merkt Schaap op. 'Geef me die kaart nog eens. Ik moet me concentreren.' Schaapje gaat aan tafel zitten met de stafkaarten en haar pendel. De mannen zetten hun gesprek fluisterend voort, om haar niet uit haar concentratie te halen. Rob beseft dat hij geen moment meer twijfelt aan de bijzondere vermogens van Schaap. 'We vinden haar wel,' belooft hij zichzelf hardop. Wichard knikt, maar De Geus reageert niet.

Sanne is weggedoezeld en wordt wakker van harde geluiden. Meteen zit ze rechtop en ze voelt haar hart in haar keel kloppen. Schreeuwende stemmen, overslaand van woede. Er klinkt zoveel ongecontroleerde agressie in door, dat ze op slag doodsbang is. Het lijkt nu alsof er gevochten wordt, voorwerpen worden tegen muren en deuren gegooid, rinkelend glas. Wat gebeurt er allemaal? Dan is er een enorme knal, waardoor ze in elkaar krimpt en haar handen over haar oren legt. Dan is het stil. Doodstil. Even maar. Misschien een paar minuten. Daarna hoort ze de stemmen opnieuw. De woedende klank is eruit; nu klinkt er een stem die commando's geeft. Hard en zakelijk, alsof een sergeant een groep soldaten loopt te trainen. Langzaam aan wordt ze weer kalmer. Maar dat duurt niet lang. Opnieuw zwellen de stemmen aan. Vol woede schreeuwen wel drie verschillende stemmen door elkaar heen. Misschien zijn het er meer, Sanne weet het niet. Wel weet ze dat er kippenvel op haar armen staat en dat ze het koud heeft van angst. Als de geluiden eindelijk verstommen, wordt haar onrust niet minder. Ze blijft op het bed zitten en neemt zich voor niet meer in te dommelen. Het lijkt alsof er een onheil boven haar hoofd hangt dat ze misschien kan keren. Misschien. Als ze wakker blijft.

'Ik moet slapen. Ik heb een richting. Morgen gaan we op pad. Dan zal het beter gaan. Er staat iets te gebeuren, maar ik moet uitgerust zijn,' zegt Schaapje, terwijl ze vermoeid over haar ogen wrijft.
'U hebt gelijk. We moeten allemaal proberen wat te slapen. Of in ieder geval wat te rusten,' beslist Wichard. Rob knikt, te vermoeid om ertegenin te gaan. De Geus werpt nog een blik op de stafkaarten op tafel.
'In welke richting dacht u?' vraagt hij nieuwsgierig.

'Niet nu. Morgen,' beslist Schaap.
'Hoe dan ook, ik ga mee. Al ben ik hier maar als een soort bliksemafleider, ik zal me tot het uiterste inzetten.'
'We zullen je nog nodig hebben,' weet Schaap.

Het is doodstil in het huis. De kelder wordt vaag verlicht door de volle maan. Sanne zit op het bed en wacht tot het licht wordt. Af en toe vallen haar ogen dicht en ze is voor haar gevoel net even weggedommeld, als ze iemand aan de deur van haar kelder hoort rommelen. Even wil ze hardop vragen wat er aan de hand is, maar dan sluipt ze weg van het bed en gaat in het donker achter de kelderdeur staan. Ze weet zeker dat iedereen die de kamer inkomt, meteen kan horen waar ze is, zo hard klopt haar hart. Het is moeilijk om rustig te ademen en ze hijgt haast van de zenuwen. De kelderdeur gaat op een kleine kier. Iemand glipt naar binnen en sluit de deur. Sannes handen trillen. Voor ze een besluit kan nemen, zegt een stem: 'Ik breng je weg, want morgen is de tijd om. Zeg geen woord en loop achter me aan.' Ze beseft dat het de man is die haar eten bracht en die met haar heeft gedamd. Ze ziet hoe hij de deur weer openmaakt en weggaat. Ze voelt even aan de diamanten oorbelletjes in haar oren. Dan loopt ze geruisloos achter hem aan. Eenmaal buiten de kamer, sluit ze zachtjes de deur. In het maanlicht ziet ze dat ze gelijk heeft. Het is haar verzorger. Hij wenkt en legt een vinger over zijn mond. Sssst!

Het is zes uur als Hazel uit haar mand opstaat en met een zacht gejank aangeeft dat het hoog tijd wordt de deur voor haar open te maken. Schaapje is meteen klaarwakker. Ze loopt naar beneden, zet de deur open en loopt naar de tafel. Daar kijkt ze maar heel even naar de kaart. Plotseling krijgt ze haast.

'Jongens! Wakker worden! Wichard, maak koffie. Paul, Rob, jullie moeten snel wat boterhammen smeren. We moeten weg. Hazel loopt buiten. Neem die ook maar mee. Als we maar niet te laat zijn. Als we maar niet te laat zijn!' Ze rent de trap op en trekt zo snel mogelijk haar kleren aan. 'Er was een pad. Een duidelijk pad. Ik zag het. Het lichtte op. Nog nooit zoiets gezien. Als ik nu maar weet waar het is. Och hemeltje. Sanne, we komen, hoor kind...' Hoofdschuddend mompelend gaat ze weer naar beneden, waar alles al in rep en roer is. Maar voordat Schaap vragen op zich afgevuurd krijgt, heft ze haar handen in een afwerend gebaar en zegt: 'Niets aan me vragen. Alleen maar doen. Ik heb geen ruimte in mijn hoofd voor antwoorden. Mag ik een broodje? En een slok koffie. Mooi. Kom.' Ze pakt de kaart van tafel en loopt naar buiten.

Rob komt meteen achter haar aan en roept: 'Hazel!'

'Die weet al dat we weggaan,' lacht Wichard. Want Hazel zit al klaar, achter in de jeep.

'Een goed voorteken,' mompelt Schaap.

Bij Cathy gaat de telefoon.

'Nee hè. Alweer,' kreunt Willem. Hij trekt het dekbed over zijn hoofd en stoot Cathy aan, die naast hem ligt.

'Vast weer zo'n gek voor jou,' zegt hij. Cathy neemt op.

'Ja, mevrouw? Ik heb haar gezien! Uw zuster bedoel ik. U had zo'n zielige oproep, hè, op televisie. M'n man en ik waren er allebei van onder de indruk. Ik zeg nog: het zal je toch gebeuren dat je zuster ineens verdwijnt, hè? Dat zeg ik, tegen Joop. Dat is mijn man dus. Joop. We komen net aan met het vliegtuig. Van vakantie dus. Maar we hebben een schoteltje in ons appartement. Dus we missen niks. Het werd ons een beetje te druk in Spanje. Dus gaan we terug. Zo'n nachtvlucht is veel goedkoper, hè?'

'Mevrouw, waar wilt u naar toe?' vraagt Cathy kortaf.

'Nou kind, eerst maar eens naar huis, de planten inspecteren en de post en zo. Ja, daar zorgt m'n dochter voor, hoor. En het is altijd wel in orde. Maar je hebt toch steeds wel het een en ander

te regelen als je terugkomt. We zijn ook alweer een maand of vier weggeweest, hè? En nu heb je weer dat gedoe over die nieuwe ziektekostenverzekering. Ja, dat moet je toch allemaal doen.'
'Mevrouw, ik bedoel te zeggen: waar belt u mij voor? Hebt u mijn zusje gezien? Hebt u Sanne gezien?' vraagt Cathy ongeduldig.
'Ja!' zegt de vrouw stralend. 'Uw zusje werkt als stewardess bij Transavia!'
'Stewardess?' herhaalt Cathy verbijsterd.
'Ze bracht ons koffie!' jubelt de vrouw nu. Willem laat het dekbed zakken en maakt een gebaar voor zijn voorhoofd waarmee hij aangeeft dat de beller volkomen mesjogge is.

Sanne heeft heel lang achter haar verzorger aan gelopen. Hij geeft het tempo aan, versnelt af en toe, maar zorgt er wel voor dat ze hem bij kan houden. Het eerste stuk van de route was zwaar, dwars door een bos met veel omgevallen bomen. Maar daarna kwamen ze op een bospad, waar ze makkelijk achter elkaar aan kunnen lopen.
'Waar breng je me naartoe?' vraagt Sanne.
Hij staat meteen stil, keert zich met een ruk om en fluistert: 'Geen woord. Anders breng ik je terug.' Omdat Sanne beseft dat ieder geluid in het stille bos enorm ver kan dragen, volgt ze hem daarna zo geruisloos mogelijk. Hoewel, stille bos. Het verbaast haar hoeveel geluiden ze overal hoort. Een uil zweeft vrijwel geruisloos vlak over haar heen, strijkt neer op een tak en laat zijn klaaglijke 'oehoeh' horen. In het kreupelhout ritselt het van de dieren die 's nachts hun kostje opzoeken en als het eenmaal begint te schemeren, lijkt het wel alsof het hele bos ontwaakt. Maar de man praat nog steeds niet en Sanne volgt hem zwijgend. Ze doet haar best om te horen of er in de verte auto's rijden, maar het lijkt wel alsof er in de wijde omtrek geen levend wezen te bekennen is.
Ze hebben bijna drie uur gelopen, als de man stopt. Hij keert zich om en zegt: 'Je had het er niet levend afgebracht.'

'Moest jij het doen?' vraagt Sanne. De man kijkt haar niet aan en antwoordt niet. Hij moest me vermoorden, weet Sanne. Hij moest me vermoorden en hij kon het niet over zijn hart verkrijgen. 'Je hebt me gered,' zegt ze. 'En nu loop je zelf gevaar.' Nu kijkt hij haar aan. Hij glimlacht.

'Dat was altijd al zo,' zegt hij. Hij strekt zijn hand uit en streelt met de buitenkant van zijn vingers zacht langs haar wang.

'Dank je,' zegt ze. Ze pakt zijn hand en drukt haar wang er tegenaan. 'Dank je.' Ze staan roerloos tegenover elkaar, totdat de man zijn hand losrukt en naar zijn rug brengt. Ze kijkt naar hem en wacht af.

Hij glimlacht weer. Dan zegt hij: 'Ik heet Dragan.'

Op dat moment ziet ze zijn hand weer tevoorschijn komen. Met een pistool. Gebiologeerd kijkt ze naar het loodgrijze wapen dat op haar af komt en ze zegt: 'Dragan. Zo heet je dus.' Dan voelt ze een enorme klap. Alles wordt donker.

Schaapje wijst de weg, Paul de Geus kijkt vanaf de achterbank over haar schouder mee op de kaart.

'Als we hier zijn, moeten we langs dit pad zoeken,' wijst Schaap.

'Dat lijkt me geen pad. Die tekentjes, dat betekent dat het een dennenbos is. Is dit geen hoogtelijn van die heuvel?' vraagt De Geus.

'Dat kan. Maar misschien is het ook een smal pad. In ieder geval is dit de plek die ik zag oplichten,' zegt Schaap.

Dan roept Wichard: 'Kijk uit!' Rob remt meteen af. Op de smalle weg komt een donkere auto met een waanzinnige vaart op hen af. Door het plotselinge remmen raakt een wiel van de jeep in de geul naast de weg en Rob verliest even de macht over het stuur. Schaapje gilt van angst. De donkergrijze auto mindert geen seconde vaart, maar raast langs hen heen. De jeep zigzagt nu over de weg en even dreigt hij aan de linkerkant ook van de weg af te raken. Dan krijgt Rob de auto weer onder controle. Met het zweet in zijn handen stuurt hij de auto naar de kant. Wichard zegt schor: 'Jezus, dat ging maar net goed.' Hij aait Hazel, die alle kanten is opgeslingerd, maar gelukkig ook niets mankeert.

'Een schietgebedje als bedankje is hier inderdaad op zijn plaats,' verzucht Schaapje. Ze wrijft haar heup, die onzacht in aanraking is gekomen met de handrem.

'Het was een donkergrijze Opel,' zegt De Geus. Even zijn ze stil.

'Weet je dat zeker?' vraagt Rob.

'Daar worden we in getraind,' zegt De Geus.

Rob start de jeep en begint te keren. 'Snotver, dat waren ze,' sist hij tussen z'n tanden door. 'Ze gaan ervandoor.'

'Hoe weten ze nu dat wij eraan komen? Dat kan helemaal niet,' merkt Wichard op.

'Ik begrijp er ook niks van,' beaamt De Geus. Ze rijden de lange, bochtige weg terug, speurend en zoekend naar de grijze Opel.

'Het is een speld in een hooiberg,' zegt De Geus moedeloos, als ze het zoveelste zijpad afturen. 'Met dat tempo is die auto al lang ik weet niet waar.'

'Had ik nu Cootje maar ingeseind. Dan hadden mijn halfbroers ook kunnen speuren. Maar voordat ik dit hele verhaal heb uitgelegd, zitten die lui al op een terrasje in Brussel of op een schip in de haven van Antwerpen,' verzucht Rob.

'Laten we maar teruggaan. Dit voelt niet goed,' zegt Schaap. 'We moeten terug naar dat pad.'

'Heeft iemand gezien hoeveel mensen er in die auto zaten?' vraagt Rob, terwijl ze terugrijden naar het punt waar ze eerst hadden moeten uitwijken.

'Het ging veel te snel,' antwoordt Wichard. Ook De Geus en Schaapje durven niets te zeggen over het aantal mensen in de auto.

'Maar Sanne zat er niet in,' zegt Schaap stellig.

'Nee, zo voel ik het ook,' beaamt Rob.

'O jee,' mompelt Wichard, als ze de plek naderen. 'Wat nu weer?' Voor hen, op de weg, staan twee agenten te zwaaien met witte handschoenen. De weg is over de hele breedte afgezet met roodwit gestreept lint.

'*Excusez, monsieur,*' zeggen ze beleefd. '*Route barrée.* Wegafzetting.U kunt een paar meter terug links afslaan.'

'Maar we moeten even verderop rechtsaf,' probeert Schaap.

'Voor uw eigen veiligheid, madame,' zegt een agent beleefd. 'U moet even omrijden.' Dus keert Rob nog een keer de jeep.

Even verderop, uit het zicht van de agenten, parkeert hij de auto. Ze kijken elkaar aan en knikken.

'We lopen achterlangs, over kleine paadjes. Ik heb de stafkaart. Ik weet precies waar we heen moeten,' zegt Schaap vastberaden. Dus lopen ze even later in ganzenmars door het bos, Hazel cirkelt kwispelend om hen heen.

'Hierheen, links,' wijst Schaap. Dan staan ze tot hun verbazing weer op de weg. Ze bestuderen de kaart en zien dat ze nu in ieder geval voorbij de wegafzetting zijn gekomen.

'Dertig meter. Veel verder kan het niet zijn. Daar moeten we rechtsaf,' wijst Schaap. Als ze de bocht om zijn, schrikt iedereen.

'Grote genade,' fluistert De Geus. 'Dat is niet bepaald een kleine actie.' Overal langs de weg en op een oprit staan politiewagens met zwaailichten, overal lopen politiemensen, Nederlandse en Belgische, en midden tussen al dat gekrioel staat een man te telefoneren.

'Kijk,' zegt Wichard, 'Daar staat die vent van de AIVD.'

'O god, ze hebben Sanne gevonden,' hijgt Rob. Hij bedenkt zich geen moment en rent op de auto's af. Meteen krijgen politiemensen hem in de gaten en een paar agenten komen op hem af. 'Sorry, meneer. Geen toegang. Wilt u omkeren?'

'Mijn vrouw! Mijn vrouw werd daar vastgehouden. Toch? Die vent is bij me geweest. Hoe heet die kerel ook alweer? Potver, laat me!' Hij rukt zich los van de ene agent die hem bij de mouw heeft gepakt en op dat moment kijkt de AIVD-er in zijn richting.

'Laat meneer maar,' zwaait hij naar de politiemensen. Die stappen achteruit en Rob loopt naar voren, gevolgd door Schaapje, Wichard en De Geus. Hazel wijkt geen centimeter van zijn baas en lijkt zeer op haar hoede te midden van al die drukte.

'Hoe komen jullie hier?' vraagt de man verbaasd.

'Ik ben uw naam kwijt,' zegt Rob.

'Hij heeft zijn naam nooit gezegd,' zegt De Geus. 'Dat doen ze nooit.'

'Ik had een ingeving,' antwoordt Schaap. De man kijkt haar belangstellend aan. Op dat moment komt er een rechercheur op hem af, die opgewonden zegt: 'We hebben een lijk. Geen idee wie of hoe. De forensische dienst is onderweg. Wilt u even kijken? Hé, De Geus! Ik dacht dat je van de zaak was afgehaald!'

'Een lijk?' herhaalt Rob ontzet.

'Mijn moeder is in dat huis,' gilt Wichard ontzet. Hij wil erheen rennen, maar er is zoveel politie dat hij geen meter verder komt. Een grote agent houdt hem tegen en zegt: 'Rustig maar, meneer. Ik wil u niet op een nare manier vasthouden, maar u moet even bedaren. U kunt daar niet zomaar heen rennen. Dat snapt u toch wel?' Rob, juffrouw Schaap en rechercheur De Geus staan nog steeds aan de grond genageld door de onverwachte mededeling dat er in het pand een lichaam is gevonden. Maar ook de man van de AIVD lijkt in de war.

'Houd deze mensen even tegen,' zegt hij gehaast tegen de rechercheur die hem het nieuws bracht.

'Mag ik mee?' vraagt De Geus. De man schudt zijn hoofd en beent meteen weg.

'Shit, sorry. Ik had geen idee wie jullie waren,' zegt de rechercheur ontzet. 'Ik zag Paul en verder dacht ik er niet over na. Dus jouw moeder was degene die gegijzeld was?' Wichard knikt verslagen.

'Het was mijn vrouw,' zegt Rob schor. Schaapje staart naar het huis en lijkt helemaal van de wereld.

'Dat is echt goed waardeloos, zeg,' beaamt de rechercheur.

'Wat heeft u precies gezien?' vraagt Schaap.

De rechercheur schudt kort zijn hoofd.'Daar mag ik niet over praten zonder toestemming van de baas. Sorry. Ik mag die details niet delen met u.'

'Was het een vrouw?' dringt Schaap aan.

De man haalt zijn schouders op en zegt nog een keer: 'Sorry. Ik kan echt niks zeggen. Als u wilt zitten, dan laat ik iemand even wat stoeltjes halen.' Hij kijkt zoekend om zich heen, wenkt een vrouw in uniform en zegt: 'Versier even iets waar deze mensen op kunnen zitten, ja? En koffie. Misschien wat water. Toe maar. Gauw.' De vrouw knikt en loopt weg. Even later hebben ze allemaal een plastic terrasstoeltje en een bekertje koffie. Robs handen trillen zo, dat de helft van de koffie over de rand vliegt.

Wichard zegt opeens: 'Als mama weg is, heb ik niks meer. Helemaal niks. Hannah is dood, de kinderen zijn dood, Suus is weg. Ik heb niets meer.'

'Rinke. Je hebt Rinke toch. En mij,' huilt Rob.

'Ja. Dat is zo. Ik ben helemaal in de war. Lijkt het wel,' snikt Wichard.

'Het klopt niet,' mompelt Schaap verward.

'Als die man meer weet, dan komt hij het toch wel meteen vertellen, hè?' vraagt De Geus gespannen.

'Ja, natuurlijk,' stelt zijn collega hem gerust. 'Het zijn rare knakkers, die kerels. Maar zo onmenselijk zijn ze nou ook weer niet. Kijk, daar heb je hem al.' In de verte komt de AIVD-er van het pad afgelopen. Hij ziet er gespannen uit en de angst slaat Rob nu helemaal om het hart. 'Dat ziet er niet goed uit,' fluistert hij. De man stopt vlak voor hen en zegt: 'Het spijt me vreselijk, maar ik moet u vragen of er iemand van u bereid is het lichaam te identificeren.' Er valt een lange stilte. Rob kreunt en houdt zijn handen voor zijn gezicht. Wichard voelt een golf van misselijkheid opkomen. Hij staat meteen op, zegt 'Sorry', en loopt naar de struiken aan de rand van het pad. Daar keert hij kreunend zijn maag om. Schaapje kijkt naar Rob en zegt: 'Laat mij het maar doen.' Maar Rob schudt zijn hoofd.

'Nee. Ik zou het toch niet geloven als u zou zeggen dat... Nee, ik moet het zelf doen. Het moet.' Hij staat op en wrijft over zijn knieën.

'Mijn knieën bibberen,' verontschuldigt hij zich.

'Rustig aan,' zegt de man vriendelijk. 'U mag zeggen wanneer u eraan toe bent. We hebben alle tijd. Het is nogal schokkend, dat zeg ik u van tevoren. Het lichaam is zwaar verbrand en het is nog maar de vraag of u met alle zekerheid kunt zeggen of het uw vrouw is.'

'Misschien is het haar niet,' zegt Rob meteen hoopvol. Wichard, die de laatste woorden van de man heeft opgevangen, grijpt weer naar zijn maag. Maar hij vermant zich en biedt aan: 'Zal ik meegaan?'

'Dat is niet echt nodig,' vindt de man, maar Rob kijkt naar Wichard en zegt: 'Ja. Graag.'

'Dan ga ik ook mee,' beslist Schaap resoluut. 'Drie zien meer dan één.'

'Vooruit dan maar. Als u alle aanwijzingen maar heel precies opvolgt, want we willen geen sporen vernielen.' Ze lopen achter hem aan en op de een of andere manier putten ze kracht uit het feit dat ze samen zijn.

'Ik ben blij dat jullie mee zijn,' zegt Rob.

'Dat dacht ik ook net. Goed dat we niet alleen zijn,' knikt Wichard. Als ze bijna bij de deur zijn, stopt juffrouw Schaap abrupt. Ze kijkt naar een klein pad dat achter het huis het bos inloopt. Omdat ze achteraan loopt, heeft nog niemand van het gezelschap in de gaten dat ze achterblijft. Maar dan roept ze: 'Ho! Meneer! Hebt u dat pad al onderzocht? Is daar naar sporen gekeken?' De man kijkt om, kijkt dan naar het pad dat Schaapje aanwijst en schudt dan zijn hoofd.

'Er is geen aanleiding geweest om dat te onderzoeken. De gijzelnemers zijn met een auto weggereden.'

'Stuur er toch maar een speurneus heen. Paul de Geus bijvoorbeeld. Die is toch extra aanwezig. En wij gaan even naar dat lichaam kijken. Want Sanne is het niet. Dat weet ik nu zeker.'
'Alweer een ingeving?' vraagt de man kritisch.
'Mijn ingevingen kloppen meestal wel. Zolang ik er niet zeker van ben, spreek ik ze niet hardop uit. Sanne heeft nog niet zo lang geleden daar gelopen,' zegt Schaap en ze wijst vastberaden in de richting van het pad.

'Ga maar kijken,' knikt de man naar rechercheur De Geus. Die loopt meteen naar het paadje, waar juffrouw Schaap zo vastbesloten naar wees.
Triomfantelijk kijkt Schaapje naar Wichard en Rob. 'Ziezo,' zegt ze, 'nu even de bevestiging halen door te kijken naar dat lichaam en daarna koffie. Het komt wel goed allemaal. Heus waar.'
Rob haalt eens diep adem. 'Ik ben er nog niet zo zeker van,' bekent hij.
'We slingeren van de ene emotie naar de andere. Ik kan ook nog echt niet lachen,' meldt Wichard somber. 'Zelfs als we zien dat het iemand anders is, dan...' Hij slaat weer dicht door alle emoties.
'Volgt u mij?' vraagt de man van de AIVD. Ze knikken, Rob maakt de riem van Hazel aan een stoel vast, geeft haar een aai over haar bol en daarna lopen ze achter hem aan de stal in. Er hangt een vage lucht van verbrand vlees. In de hoek zien ze een put die afgezet is door rood-wit lint. De man loopt er recht op af en nodigt ze uit naast hem te komen staan. Daar staan ze dan, naast elkaar. Op de put ligt een groot houten deksel, ooit blauw geverfd, maar nu gebladderd en haveloos.
'Goed,' zegt de AIVD-er. 'Mijn mensen werden nieuwsgierig

door de lucht die uit de put kwam. De lucht die u nu ook ruikt. Toen ze het deksel eraf haalden, zagen ze wat u straks ook te zien zult krijgen. Ik wil u vragen goed te kijken. Kritisch. Schakel uw gevoel uit en probeer aan de hand van wat u ziet te constateren of dit het lichaam kan zijn van uw vrouw, uw moeder. Neem uw tijd. U mag, wat mij betreft, met elkaar overleggen. Maar raakt u niets aan, alstublieft...' Hij kijkt ze nog even streng aan en schuift dan het deksel weg.

'Ga uw gang,' zegt hij.

Rob, Schaapje en Wichard kijken in de put.

'Jezus,' zegt Wichard geschokt. Rob houdt hoorbaar zijn adem in. Het is nauwelijks goed te zien of daar een lichaam ligt. Maar een hand, zwart geblakerd, steekt uit de put omhoog. Het is alsof de persoon die in die put verdween, smeekt om eruit gehaald te worden. Verder is er nauwelijks iets te zien dat herkenbaar is.

'Zit daar een lichaam aan vast?' vraagt juffrouw Schaap.

'Ja. Als u er een zaklantaarn bij pakt, zou u dat beter kunnen zien. Maar die aanblik willen we u liever besparen. Als u iets kunt herkennen aan de hand is dat mooi meegenomen. Later zullen we het lichaam proberen te identificeren aan de hand van de gebitsgegevens.'

'Juist,' mompelt Rob. Hij heeft de hele tijd naar de hand gestaard. Is dat de hand die hem heeft gestreeld? De hand die hij vasthield en nooit meer los wilde laten? Is dat Sannes hand? Hij kan het zich nauwelijks voorstellen.

'Ik weet het niet,' mompelt Wichard ontzet. Maar Schaapje houdt haar hoofd helder.

'Het is een rechterhand. Daar zou haar trouwring moeten zitten. En die zit er niet. Ik vind die pink zo raar krom. Had Sanne een kromme pink? De nagels zijn wel heel erg kort. Die duim. Zo hamerachtig. Niet echt een mooie hand. Grof. Mannelijk misschien. Wel klein voor een man. Ik weet niet, het lijkt niks op de hand van Sanne.'

'Sanne heeft lange nagels. Niet idioot lang, maar gewoon, mooi lang. Ze vijlt ze vaak, ze gebruikt doorzichtige nagellak. Sannes handen zijn mooi. Verzorgd. Branden nagels sneller af? Die ene vinger is aan de top nog behoorlijk intact en die nagel is heel kort. Afgebeten, lijkt wel. Zijn al die nagels afgebeten?' vraagt Rob zich hardop af.

'Aan die duim is te zien dat deze hand van iemand is die altijd op zijn nagels bijt. Dan krijg je op den duur van die korte nageltjes en van die brede vingertoppen,' wijst Wichard nu. Hij voelt hoe hij weer kleur op zijn wangen krijgt en ondanks het vreselijke tafereel in de put trekt het misselijke gevoel in zijn maag weg. Dit is zijn moeder niet. Dit is Sanne niet. Schaapje knikt hem triomfantelijk toe en zegt het hardop: 'Het is haar niet. Absoluut niet. Volgens mij is het een man.'

'Het is Sanne niet. Ik weet het ook zeker,' zegt Rob. Hij staat nu rechtop en kijkt de man aan.

'Overtuigd?' vraagt de man.

'Helemaal. Het is haar niet.' Hij kijkt opgelucht naar Wichard en Schaapje.

'God, wat ben ik daar blij om,' zegt hij.

'Nu moeten we haar nog wel vinden, natuurlijk,' waarschuwt de man van de AIVD.

'Ik heb meer mensen nodig,' roept De Geus nu om de deur. 'Langs dat pad hebben twee mensen gelopen. In grote haast. Er zijn goede afdrukken en die wil ik meteen in veiligheid stellen.'

'Mooi. Aanwijzingen dat er een vrouw bij was?'

'Maat 38 wandelschoen en maat 42 sportschoen, schat ik.'

'Klopt. Die 38 is van Sanne. Ze liet Hazel uit toen ze verdween, dus ze droeg haar wandelschoenen,' knikt Rob. Er breekt een glimlach door op zijn gezicht. 'Ik begin er echt in te geloven.'

'Als zij door een gijzelnemer is afgevoerd, dan kan ze wel overal zitten,' zegt de AIVD-er somber. 'En wie ligt er in die put?'

'Misschien hebben ze ruzie gehad. Misschien is Sanne wel ontsnapt,' oppert Schaap.

'Volgens de sporen liep de persoon op wandelschoenen achter degene op sportschoenen. Dus als het Sanne was, dan had ze in ieder geval geen pistool in haar rug,' merkt De Geus op. 'Wellicht zat ze aan een touw, of een ketting?' oppert de andere rechercheur.

'Dat kan. De sporen zullen het ons vertellen,' zegt de man van de AIVD. Het is een raadsel wat er met Sanne is gebeurd en Rob wordt ongeduldig.

'We gaan op zoek. Met Hazel,' kondigt hij aan.

'Nee. Daar komt niks van in. U zou alle aanwijzingen vernielen,' zegt de man autoritair. En voor ze het weten, zijn er twee politieagenten om ze naar de terrasstoeltjes langs het pad te brengen. Ze krijgen verse koffie, maar worden nauwlettend in de gaten gehouden en kunnen geen kant op.

'Hier komen we dus niet weg,' merkt Wichard somber op.

De Geus schudt zijn hoofd. 'Zelfs ik mag niet eens meer het pad op,' zegt hij.

'We moeten een plan verzinnen,' fluistert Rob. 'Als we samen op zoek kunnen, hebben we veel meer kans Sanne levend terug te vinden. Ik bedoel, met juffrouw Schaap en met Hazel, dan vinden we haar wel.'

'Ik ben het met je eens. Maar hoe ontsnappen we hier? Ze laten ons niet gaan. Zo simpel is het gewoon,' zegt De Geus.

Er arriveert een ambulance en daar stappen drie mannen uit, die witte pakken aantrekken.

'De patholoog, samen met wat andere techneuten,' wijst De Geus.

'Hoe krijgen ze dat lichaam uit die put?' vraagt Wichard zich hardop af.

'Hoe komen wij hier vandaan? Dat is de vraag. Ik wil hier weg,' meldt Rob somber.

'Ssst,' sist Wichard. De man van de AIVD komt dichterbij en Wichard geeft Rob een schop om hem duidelijk te maken dat hij z'n mond moet houden.

'Ik heb het!' roept juffrouw Schaap. 'Ik weet het!'

'Nee, ssst. Stil,' snauwt Rob nu op zijn beurt, bang dat juffrouw Schaap een plan heeft om te ontsnappen aan de aandacht van de politie en dat ze dat nu gaat onthullen zonder dat ze in de gaten heeft dat die man staat mee te luisteren.

'We moeten naar huis!' roept Schaap. 'Als Sanne vrij is, komt ze terug naar huis. Logisch toch? Waar ga jij heen als je ontsnapt aan een boevenbende? Zo gauw mogelijk naar huis, toch? Kom. We gaan.' Ze staat resoluut op en pakt de riem van Hazel. 'Kom,' wenkt ze. De politieagenten die bij hen staan, kijken hulpeloos naar de man van de AIVD. Mogen ze weg of moeten we ze tegenhouden?

'U hebt weer een ingeving?' informeert de man droogjes.

'Ja, heel logisch eigenlijk. Als Sanne vrij is, gaat ze naar huis. Dus daar moeten we zijn. Logisch,' vertelt Schaap.

'Dus u wilt thuis op haar wachten?' concludeert de man. Schaap knikt. 'En De Geus?' informeert hij.

'Ik ga met ze mee,' meldt die.

'Mooi. Er is natuurlijk al iemand die uw adres in de gaten houdt, maar daar hoeft u verder geen last van te hebben. Ik reken erop dat u meteen terugrijdt en geen uitstapjes maakt in de richting van het bospad?'

'Nee, natuurlijk niet,' haast Rob zich hem te verzekeren.

'Want u begrijpt dat ik niet zal aarzelen u te arresteren als u bewijsmateriaal vernielt of ons op een andere manier voor de voeten loopt.'

'Uiteraard,' beaamt Rob.

'Mooi. Ga dan maar. U hoort nog van ons, natuurlijk. Zo gauw we iets weten, nemen we contact met u op.' De man knikt en loopt weer weg.

'Denk maar niet dat hij niet precies weet waar we zijn. Van minuut tot minuut,' fluistert De Geus. 'Maar die inval van u was briljant. Goede smoes.'

'Het was helemaal geen smoes. Het was gewoon een logische gedachte. Ik weet niet of Sanne op weg is naar huis, maar ik weet wel dat ze dat zou doen, als ze het kon.'

'Shit, ik dacht dat het een plan was. Dat we nu op zoek konden gaan naar mam,' zegt Wichard teleurgesteld.

'Nee, dat gaat niet lukken. Maar we kunnen hier in ieder geval wel weg. Als we thuis zijn, kunnen we een plan verzinnen. Hardop. Dat is al een hele verbetering,' merkt Schaapje op, terwijl ze naar de jeep lopen.

'Ze heeft alweer gelijk,' zegt De Geus.

Sanne hoort zichzelf zachtjes kreunen van de pijn. Ben ik dat? Is dat mijn stem? Of heeft er iemand pijn? Ze beweegt haar arm en voelt een scheut van pijn die dwars door haar lijf gaat. Dat is niet goed. Dat is helemaal niet goed. Nu beweegt ze haar arm een heel klein stukje en opnieuw voelt ze de pijn. Ze knippert met haar ogen voor het felle licht dat door de bladeren van de bomen schijnt. Onder haar lichaam steken scherpe stenen in haar lijf en haar benen liggen in een vreemde hoek. Maar als ze die probeert te bewegen, voelt ze hoe ze langzaam weer controle krijgt over haar lichaam. Ik lig hier al een tijdje. Ik ben bewusteloos geweest, beseft ze. En ik heb in een idiote houding gelegen, boven op de stenen. Al mijn spieren zijn stijf. En mijn arm. O, mijn arm doet zo'n zeer. Mijn pols. Ze verbetert zichzelf. Mijn pols. Die is stuk. Gebroken? Verstuikt? Daar ben ik bovenop gevallen. Misschien. Hoe dan ook, mijn arm kan ik niet gebruiken. Mijn linker. Mijn linkerarm. Rechts? Ja, dat is in orde. Met haar ogen half dichtgeknepen tegen het licht corrigeert ze langzaam haar houding, zodat ze voorzichtig op haar buik kan rollen. Gaat dat? Ja. Dat gaat. Nu draaien. Het valt niet mee. Stenen steken in haar zij als ze zich probeert om te keren en haar pols doet zo vlijmend zeer, dat ze er misselijk van wordt. Weer hoort ze zichzelf kreunen, maar nu doordringender. 'Ik wil naar huis,' kreunt ze. 'Ik wil naar huis!'

Het is alsof de misselijkmakende pijn bezit neemt van haar hele lijf, maar toch verliest Sanne haar bewustzijn niet. Ze ligt nu in een positie, waarin ze zich kan ondersteunen met haar rechterarm, zodat ze langzaam op haar knieën kan komen. Het maakt haar duizelig, maar het lukt. Nu voelt ze ook hoe zwaar haar hoofd is. Die klap! Ze herinnert zich weer de klap. Voorzichtig gaat ze rechtop zitten en ze voelt aan de zijkant van haar hoofd. Haar haar voelt plakkerig aan en ze is niet eens verbaasd als ze ziet dat haar hand nu onder het bloed zit. Ik heb een gat in mijn hoofd, beseft ze. Ik moet naar huis. Zo snel mogelijk. Ze steunt met haar rechterhand, terwijl ze voorzichtig overeind krabbelt. Een duizeling overvalt haar, maar het lukt. Ze haalt diep adem, voor ze naar haar pols kijkt. Eigenlijk is er niet zoveel schokkends aan te zien. Hij is dik, opgezet en pijnlijk. Ze pakt haar onderarm en ondersteunt haar arm en pols, terwijl ze hem naar boven brengt, kruiselings voor haar borst. Weer kreunt ze hardop, gevolgd door een hartgrondig: 'Ooooooh, shit, shit, shit, shit.' Op een vreemde manier helpt het om dat woord een paar keer achter elkaar te zeggen. Dan is het tijd om eens goed om zich heen te kijken. Want waar ben ik eigenlijk? En waar moet ik naar toe? Zachtjes begint het te regenen.

Schaapje gaat meteen koffiezetten en Wichard zoekt alle kasten af naar koek.
'Er is bijna niks meer te eten,' concludeert hij. Hij zet een pak Bastognekoeken op tafel en wijst: 'Dit is alles. Geen brood, geen beleg, niks meer. Ik ga zo wel even naar de supermarkt.'
'Dan ga ik met je mee,' zegt Schaap. De regen slaat tegen de ruiten en Schaapje kijkt op. 'Foei, wat een weer is het opeens.'
Als ze aan tafel zitten met een kop koffie, gaat de deur open. Bram en Lia, het beheerdersechtpaar, komt binnen met hun

hond Beau. Hazel springt kwispelend omhoog. Binnen een tel liggen de twee honden te dollen en naar elkaars bek te happen.

'Al wat nieuws?' vraagt Bram.

'Heel wat nieuws. Maar geen Sanne. Doe die jassen uit,' zegt Rob somber. Ze trekken hun lange regenjassen uit en hangen hun westernhoeden aan de kapstok.

'Er staat een wagen van de politie op het pad,' wijst Lia.

'Die is zeker net gearriveerd. Ik had ze niet gezien,' merkt Paul de Geus op.

'Klopt. Ze passeerden ons toen we ons huis uit gingen,' zegt Bram. Ze zijn aan tafel gaan zitten en knikken als Schaapje de koffiepot ophoudt. Rob vertelt en ze luisteren aandachtig.

'Dus jullie zouden het liefst nu meteen op zoek gaan,' zegt Lia.

'En om dat te voorkomen staat die politiewagen op het pad,' knikt Rob.

'Ik heb het,' zegt Schaapje ineens. 'Hebben jullie even de tijd?' vraagt ze aan Bram en Lia. En als die knikken, ontvouwt ze haar plan.

Een kwartiertje later lopen Rob en Paul samen het pad op. Beau en Hazel rennen enthousiast vooruit. De agenten in de auto kijken hen na.

'Dat zijn die mensen die hier net met hun hond aankwamen. Ze hebben die andere hond meegenomen. Kan die ook eens lekker uitrennen,' zegt de ene agent.

'Moeten we die mensen ook in de gaten houden?' vraagt de andere zich hardop af.

'Nee. Alleen de mensen die in dat huis wonen. Zij kwamen even langs en gaan nu weer weg. Prima toch?'

'Je hebt gelijk,' zegt zijn collega. Hij draait verveeld aan de radio om een andere zender te zoeken.

Rob en Paul stappen stevig door. Dan zegt Paul: 'Die jas van Lia zit me iets te krap.'

'En die hoed van Bram zakt helemaal voor m'n ogen,' grijnst Rob terug.

Wichard klopt op het raampje van de auto en zegt: 'Juffrouw Schaap en ik willen boodschappen doen. Moet er iemand van jullie mee, of geloof je het wel?'

'We rijden wel achter jullie aan,' zegt de agent achteloos.

'Ze rijden achter ons aan als we boodschappen gaan doen' zegt Wichard triomfantelijk tegen juffrouw Schaap, Bram en Lia.

'Mooi. Dan gaan wij naar huis als ze weg zijn. We lenen wel een jas van jullie. En een paraplu,' lacht Lia.

'Hebben Rob en Paul eigenlijk een sleutel mee?' vraagt Schaapje zich ineens af.

'Geen idee. We laten de deur zolang open,' besluit Wichard. Even later rijden ze in kolonne naar het nabijgelegen dorp waar een grote supermarkt is. De politieauto parkeert naast hen en de agenten groeten terug als Schaapje naar ze knikt.

'Ze moesten eens weten dat er nu twee mannen en twee honden op zoek zijn naar mam. De sufferds. Ik was er niet ingetrapt. Het waren natuurlijk grote jassen en grote hoeden, maar Rob en Paul zijn misschien wel twintig centimeter langer dan Bram en Lia. Hun houding is ook heel anders. Gek, dat ze dat niet zagen,' zegt Wichard.

'Je let alleen maar op de dingen waar je op móét letten. En ze hoefden niet te letten op bezoek. Dus zagen ze van het bezoek niet meer dan het meest opvallende: de jassen, de hoeden en de hond. Van ons zien ze veel meer details. Zo werkt dat nu eenmaal,' legt Schaap uit.

Ondertussen loopt Sanne over het smalle, rotsachtige pad. Het wordt steeds glibberiger door de regen en ze heeft moeite haar evenwicht te bewaren. Als ze op een heel smal punt is aangeland, gaat ze voorzichtig zitten. 'Ik durf niet verder,' mompelt ze verslagen.

Sanne zit op een rots en kijkt om zich heen. Waar moet ik naartoe? De rotsen zijn glibberig door de regen en omdat ze haar linkerarm constant ondersteunt met haar rechter, kan ze slecht haar evenwicht bewaren. De regen blijft stromen en haar haar hangt al in pieken voor haar ogen.

Je hebt vreselijk veel medelijden met jezelf, hè? vraagt ze in gedachten. Dat werkt. Want hoe dan ook; ze is wel vrij. Ook al is dat met een geblesseerde pols. Vrij, knikt ze. Maar hoe nu verder? Er klinkt ineens nadrukkelijk geritsel in de varens aan de rechterkant. Ze kijkt op en ziet de varens bewegen. Dan verschijnt er een everzwijn. Het is duidelijk een mannetje met die grote hoektanden. Zo dichtbij! Sanne houdt haar adem in. Hij kijkt haar nieuwsgierig aan en gaat dan het pad op. Achter hem aan verschijnen zes zwijntjes, allemaal wijfjes, iets kleiner dan hij. Twee van de dames maken een schrikachtige beweging als ze Sanne opmerken en hollen een deel van de roedel voorbij. Maar de rest volgt de beer op een sukkeldrafje. De lucht van de beesten is enorm sterk en Sanne bedenkt dat ze zich daardoor veilig voelden bij haar. Zoveel dagen niet gewassen! En nog steeds dezelfde kleren aan... Ik stink als een zwijn. Ze glimlacht. Als een vrij zwijn. Kom, ik volg ze gewoon. Ze staat op en ver volgt haar weg, heel behoedzaam, stapje voor stapje. Ieder pad gaat ergens naar toe, dat weet ze zeker. Ook dit pad.

'Als we deze weg aflopen, dan komen we in het bos waar dat pad naartoe loopt,' wijst Paul op de kaart.
'Het is een heel eind,' knikt Rob. Zijn voeten doen zeer in zijn laarzen en de hoed van Bram zit hem behoorlijk in de weg. Hij is te groot om op te houden, maar als hij hem op zijn rug hangt, is het koordje tegen zijn keel enorm irritant. Nu draagt hij de hoed maar op zijn borst. Paul heeft al uitgebreid geklaagd over het feit dat de jas van Lia met iedere minuut meer begint te knellen en eraan toegevoegd: 'Stel dat we Sanne niet vinden. En dat is toch eigenlijk wel te verwachten...'
'Natuurlijk vinden we haar. Ik weet het zeker,' zegt Rob verbe-

ten. Alleen Hazel en Beau genieten van de lange wandeling en vertonen nog geen enkel spoor van vermoeidheid.

'We kunnen ook doorsteken,' laat Paul op de kaart zien. 'Dat is minder lang. Maar dan moeten we over de berg Sint Helena. Rotsachtig, zo te zien. Wat denk je?'

'Korter is altijd beter,' zegt Rob. Hij voelt op allebei zijn voeten blaren opkomen en strompelt voort.

'Dan steken we hier het weiland door,' zegt Paul. Ze openen het hek en lopen het weiland op.

'En dan staat er straks natuurlijk een stier,' lacht hij, om Rob een beetje op te beuren.

'Nee, het zijn dames. Ik heb ze al gezien. Ze staan onder die bomen te schuilen,' wijst Rob. 'Dat is mooi hier. Koeien kunnen bij hitte lekker in het water gaan staan of in de schaduw. En nu staan ze op een kluitje te schuilen. Perfect. In Nederland kunnen ze nergens heen.'

'Als ze al buiten staan. De meeste koeien in Nederland blijven hun hele leven in de stal. Dat is veel goedkoper,' bromt Paul. Ze ploeteren voort over het bonkige grasland en als ze eindelijk bij het hek aan de andere kant zijn aangekomen, zien ze dat de grond achter het hek wel erg drassig is.

'Je moet uitkijken dat je niet wegglijdt,' waarschuwt Paul, als Rob bezig is over het prikkeldraad te klimmen. Rob is er met één been overheen als hij angstig piept: 'Of wegzakt!' Het been dat hij heeft neergezet, lijkt wel opgezogen te worden in de modderige massa en omdat hij zijn andere been nog niet over het prikkeldraad heeft gezwaaid, zakt hij nu wel heel akelig weg. 'Shiiiiit!' Hij heeft geen keus. Met de moed der wanhoop gooit hij zijn hele lijf over het prikkeldraad om te voorkomen dat hij er met zijn kruis in belandt. Maar door die actie zakt zijn ene been nog verder in de modder, waardoor hij niet overeind kan blijven en languit in de modder klapt. 'Shiiiiit!'

Paul lacht. Hij houdt zijn buik vast en giert van het lachen. 'O, sorry,' snikt hij. 'Het is zo'n achterlijk gezicht, o jee, wat erg, ik doe het bijna in m'n broek!'

'Help me nou,' kermt Rob. Paul zoekt zich een weg aan de rand van het prikkeldraad en zet zijn voeten zoveel mogelijk in de kant waar de struiken groeien en waar de bodem een stuk steviger is. Als hij zonder kleerscheuren over het prikkeldraad is geklommen, ziet hij Rob nog steeds op dezelfde plaats zitten.
'Kun je niet hierheen komen?' vraagt Paul.
'Nee man, mijn been zit helemaal vast in de blubber. Kijk jij maar uit, want het lijkt wel drijfzand,' hijgt Rob. Hij probeert de hele tijd voldoende houvast te vinden met zijn andere been, maar waar hij zijn laars ook neerzet, overal voelt hij dat zijn voet naar beneden zakt.
'Pak mijn jas,' zegt Paul. Hij heeft de jas van Lia uitgetrokken en werpt Rob een slip van de jas toe. Die aarzelt geen moment, pakt de jas en zet zijn andere voet ook in de blubber. Paul trekt en Rob voelt hoe hij loskomt. 'Het lukt!' juicht hij. Nog twee grote stappen en daar staat hij naast Paul op de verhoogde berm. Zonder laarzen. Paul wijst en snikt weer van het lachen.
'Je laarzen!'

'Oooooo, shit!' Rob kijkt naar zijn voeten. 'Ik zal op mijn sokken verder moeten.' Hij kijkt beteuterd naar zijn laarzen, die in de blubber zijn blijven steken. 'Ik kan er ook niet bij. En dan nog, ik krijg ze vast niet uit de modder. Die zitten muurvast.'
'En ik kan mijn jas niet meer aan,' ziet Paul. Zijn lachbui is meteen bedaard als hij de jas ziet, vanbinnen onder de modder en vanbuiten kletsnat.
Ze hebben weinig keus en ploeteren voort op zoek naar het pad dat hen over de berg zal leiden.
'Het is geen lopen met die jas over m'n arm,' foetert Paul.
'Je kunt hem niet achterlaten. Het is Lia's jas,' waarschuwt Rob.
'Trouwens, denk je dat ik zo lekker loop?' Als Paul naar Robs

voeten krijgt, begint hij meteen weer te lachen. De sokken van Paul zitten nu al vol aangekoekte modder en iedere keer als hij zijn voet neerzet, zie je zijn gezicht vertrekken. Op iedere plek ligt wel een gemeen steentje of een scherpe boomwortel. 'Ik droom vannacht vast van asfalt en betegelde stoepen.'

'Ik trek die jas aan. Dit is geen doen,' besluit Paul. Hij moet even slikken, maar dan hangt de jas weer om zijn schouders en hij ziet hoe zijn kleren meteen dik onder de blubber zitten. Als ze bij het pad aankomen, is er voor Rob weinig reden tot vreugde. Het is een smal pad, deels over rotsachtige bodem.

'Kijk uit, jongen, het kan hier spekglad zijn. En jij hebt weinig profiel onder je zolen,' grijnst Paul. Ze glibberen voort en Rob maakt van tijd tot tijd een fikse uitglijder. Af en toe kost het hem ook enorm veel moeite om te klimmen, maar dan helpt Paul hem. De enige twee leden van de expeditie die weinig last hebben van gladheid zijn Beau en Hazel, die de weg minstens twee keer afleggen en nog steeds dolle pret hebben.

'Toch een wonder dat zo'n hond niet vastraakt in het drijfzand,' verbaast Rob zich.

'Jongen, die hebben er letterlijk een neus voor. Maar wij mensen, wij zijn stumpers,' bromt Paul.

Wichard laadt de boodschappen in de auto en helpt juffrouw Schaap met instappen.

'Daar gaan we weer met ons escorte,' zegt hij, als hij ziet dat de politieagenten achter hen aanrijden. Als ze bij het huis aankomen, hoeven ze bij de deur niet te doen alsof ze hartelijk begroet worden, want Lia en Bram zijn er nog steeds.

'We bedachten ineens dat het goed was als er nog steeds mensen in huis te zien waren. Voor het geval ze terug zouden komen,' legt Lia uit. 'Nu zijn ze helemaal gerust. Ze kunnen zelfs koppen tellen als we straks aan tafel zitten.'

'Goed gevonden,' prijst Schaap. 'Ik was al even verbaasd dat ze zomaar achter ons aanreden. Maar ik besefte dat ze niet verwachtten dat er mensen lopend op pad zouden gaan. Vanwege de

afstand. Ik benijd die twee jongens ook niks. Ze zullen het wel zwaar hebben.'
'Maar de honden hebben de wandeling van hun leven,' grijnst Bram.

Sanne schuifelt voort, doodsbang om haar evenwicht te verliezen en te vallen met haar geblesseerde pols. Als ze in de verte geluid hoort, stopt ze meteen. Dat zijn mensen! Ze hoort iemand praten en weet dat het een man moet zijn. Zouden ze naar haar op zoek zijn? En naar Dragan? Ze wilden me doodmaken, zei Dragan. Ze kunnen het zich misschien niet veroorloven dat hij hier nog rondloopt. Want hij kon zijn mond wel eens voorbij gaan praten. Ze zijn naar hem op zoek. En ook naar mij. Ik heb ze nooit gezien. Ik ben geen echt risico. Maar als ze me nu vinden, dan zie ik ze wel. Dus... Er tollen allerlei gedachten door haar hoofd en ze kijkt in paniek om zich heen. Waar kan ik me verstoppen als ze dichterbij komen? Waar kan ik naartoe? Ze hoort nog een stem. Ook een man. Ze weet het zeker. Die zoeken naar mij. Ze zakt op haar knieën en kruipt van het pad af. Heel voorzichtig kruipt ze onder de varens door, steeds dieper het bos in. Ze beweegt zo soepel mogelijk, om zo weinig moge lijk sporen te maken. Als ze nu maar heel stil is, zouden ze dan niet gewoon voorbijlopen? Ze heeft het gevoel alsof haar ademhaling net zoveel lawaai maakt als een draaiende ventilator. O Heer, laat ze me niet vinden. Ze doet een schietgebedje en sluit haar ogen.

'Ik wou echt dat je je mond hield met je flauwe geintjes,' sist Rob, als Paul weer een grap heeft gemaakt over zijn sokken. Hoewel, sokken, er is weinig meer van over.
'Zeker op de markt gekocht,' was het laatste dat Paul opmerkte, terwijl hij wees op de gaten in Robs hielen.
'Oké. Ik zeg niks meer,' zegt hij nu, zogenaamd beledigd. Zwijgend ploeteren ze door, nu zonder geluid. De honden hijgen.

Ik hoor honden, beseft Sanne. Ze zoeken met honden! Dan heb ik geen enkele kans. Ze zullen me vinden. Ik ben er bij. Het zweet breekt haar uit en haar hart klopt in haar keel. Ze hoort dat de mannen vlakbij zijn; ze hoort hun voetstappen, slepend en vermoeid. Ze praten niet, maar ze hoort hun zware ademhaling. Ze probeert doodstil te blijven en houdt haar adem in nu ze weet dat ze heel dichtbij zijn. Vlak bij haar ritselen de varens. De honden! En dan voelt ze een natte neus in haar oor en ze hoort de varens ritselen door het gekwispel. Een grote roze tong likt over haar wang.

'Hazel,' fluistert Sanne verwonderd. De hond kwispelt nu uitgelaten en likt haar gezicht. Blaffend komt Beau aangehobbeld, hij springt onhandig om haar heen.
'Wat hebben die honden,' zegt Rob narrig. Zijn linkervoet bloedt door de scherpe stenen en al zijn spieren doen zeer.
'Iets gevonden, denk ik,' zegt Paul onverschillig. Hij heeft al zijn energie nodig om overeind te blijven en het interesseert hem op dit moment niet veel wat de honden daar beneden tussen de varens uitspoken. Sanne hoort hun stemmen en ze kan niet geloven wat ze hoort.
'Rob? Rob!' Ze fluistert schor en beseft dat ze vrijwel geen geluid maakt. Ze gaat zitten en weert met haar goede arm Beau af, die nu nog enthousiaster om haar heen dendert.
'Rob! Ik ben hier!'
'Stil eens,' zegt Paul. Hij stopt met de moeizame gang over de glibberige stenen en luistert. Ook Rob staat meteen stil, dankbaar voor de rust.
'Rob? Hazel, ga de baas halen,' zegt Sanne.
'Sanne!' schreeuwt Rob. 'De honden hebben Sanne gevonden. Waar zijn ze? Sanne!'

'Hier!' roept Sanne terug.

'Nee hè,' kreunt Paul. Het geluid komt van beneden, daar waar de helling steil afdaalt, begroeid door varens, bosbessenstruiken en bramen.

'Ongelooflijk. We hebben haar. Maar hoe komen we daar? Hazel! Sanne, laat Hazel naar me toe komen. Ik wil zien hoe ze naar boven komt. Dan kunnen we naar je toe,' roept Rob, zijn handen als een toeter aan zijn mond. 'Hazel, hier!' Even later ziet hij de hond met grote sprongen door de varens duiken. Ze zoekt haar weg en is binnen een minuut of twee bij haar baas, hijgend en kwispelend.

'Goed zo, lieverd. Nu gaan we naar beneden. Jij wijst de weg,' zegt Rob tegen de hond.

'Er zijn veel bramen,' waarschuwt Paul.

'Daar hoef je me heus niet aan te herinneren,' zegt Rob tussen zijn tanden door. De afdaling is een hel voor hem. Zijn voeten bloeden nu allebei en bij iedere stap gaat er een golf van pijn door hem heen.

'Nog even,' mompelt hij. 'Hazel, niet zo vlug. Waar ben je?' Het laatste stuk is zo steil, dat hij besluit te gaan zitten en al schuivend verder te gaan.

'Goed idee,' zegt Paul, die hem zittend volgt.

'Nog een stukje. Daar loopt een smal pad,' wijst hij, zich vasthoudend aan de takken van een lage eik. 'Sanne!'

Sanne is opgestaan en teruggegaan naar het paadje. 'Hier! Ik ben hier!' Dan ziet ze hem. Hij komt op haar af en het is net alsof de wereld ophoudt met draaien. Of er onder haar een gat verschijnt waar ze straks in zal zakken, vlak voordat hij bij haar is. Ik droom, denkt ze. Dit is niet echt. Ze houdt haar adem in en kijkt naar hem. Pas als ze zich in de armen van Rob laat vallen, krijgt ze weer lucht. De stilte verdwijnt en de scheut van pijn die ze in haar pols voelt overtuigt haar helemaal dat dit geen droom is.

'Ooooo,' kreunt ze, 'ik heb mijn pols gekneusd. Of erger.'

'O, schat, alles komt goed,' sust Rob.

'Ongelooflijk,' mompelt Paul op de achtergrond voor de zoveelste maal. 'Dat we je gevonden hebben. Ongelooflijk.' Hij pakt zijn mobieltje.

Wichard neemt op en iedereen kijkt hem ademloos aan, als hij zegt: 'Echt waar? Fantastisch! Ongelooflijk! Is ze ongedeerd? Helemaal? O god, is dat erg? Ja, ja, ik blijf kalm. Ik geef je aan Bram. Die weet vast hoe je zo snel mogelijk naar een plek kunt komen waar we jullie met de auto kunnen oppikken. Daar komt ie.' Hij geeft de mobiel aan Bram en zegt: 'Ze hebben mama. Ze is gewond aan haar pols en ze zijn doodmoe. Ik hoop dat je kunt helpen. We gaan meteen naar die agenten. Want we moeten ze ophalen.' Bij Lia schieten direct de tranen in de ogen.
'Ik wist het wel,' knikt ze. 'Ik wist het wel.'
'Wat zal ze moe zijn. En hongerig en koud. Dat arme kind,' fluistert Schaapje. Wichard is al naar de politiewagen, waar de twee agenten verveeld naar de radio zitten te luisteren. Ze kijken verbaasd op als Wichard in een notendop vertelt wat er is gebeurd.
'We kunnen u niet weg laten gaan. We hebben opdracht u hier te houden. We zullen wel bellen met het bureau,' zegt de ene agent.
'Daar kunnen we niet op wachten. Ze zijn doodmoe en mijn moeder is gewond aan haar arm. Ze moeten zo snel mogelijk opgehaald worden. Ga nu maar mee,' dringt Wichard aan.
'Dat kunnen we echt niet doen. En we kunnen u ook niet laten gaan. We gaan nu bellen,' besluit de ander. Hij heeft zijn mobiel al in zijn hand, als Wichard woedend roept: 'Wie moest je nou eigenlijk in de gaten houden, idioot! Twee daarvan lopen nu ergens in de bossen met mijn moeder! Dringt dat tot jullie botte hersens door? Ik denk dat je een goede beurt zou maken als je ze allemaal weer in dit huis terugkrijgt. Dat was toch je opdracht, of niet soms?' Daar hadden de twee agenten niet zo gauw aan gedacht. Ze kijken elkaar aarzelend aan.
'Bel maar. Leg maar uit hoe het komt dat je er twee kwijt bent,' zegt Wichard. 'Of neem een verstandig besluit en ga met ons mee.'

'We zeggen gewoon dat wij haar gevonden hebben, toen we de hond uitlieten. Dan gaan jullie vrijuit,' oppert Bram, die erbij is komen staan. 'We moeten gaan. Ik weet waar ze naartoe lopen.' De agenten schudden hun hoofd. 'Ik weet het niet,' mompelt de een en de ander wrijft over zijn voorhoofd.

'Het kan echt niet,' zegt de ene agent.

'Nee. Het kan echt niet,' herhaalt de andere agent. Wichard roept gefrustreerd: 'Het is ongelooflijk! We zitten hier opgescheept met Jansen en Janssen!' De agenten zitten nog steeds hoofdschuddend in hun auto.

'We gaan,' zegt Bram vastbesloten. Hij heeft de sleutels van de jeep al in zijn handen en loopt erheen. Wichard volgt hem. Samen stappen ze in. Lia en juffrouw Schaap staan op het terras toe te kijken. Als Bram de auto start, stappen de twee agenten uit. De ene gaat voor de jeep staan met zijn hand omhoog.

'Stop. Ik moet u echt tegenhouden,' zegt hij vastbesloten.

'Ga opzij, man,' roept Wichard vanuit de jeep.

'U moet echt stoppen!' gebiedt de andere agent nu ook. Hij is naast zijn collega gaan staan.

'Nou ja,' mompelt Bram verbaasd.

'Mijn hemel,' zegt Schaapje giechelig. 'Nu moet het maar eens afgelopen zijn.' Ze loopt het pad op en gaat vlak voor de agent staan. Ze zegt: 'Jongen toch, gebruik even je verstand. Jullie kunnen beter achter ze aanrijden. Dan delen jullie straks nog een beetje in de glorie. Stap in en rijd achter ze aan. Dan kunnen jullie onderweg jullie superieuren waarschuwen dat jullie op weg zijn om het slachtoffer van de kidnapping op te halen.' Schaapje knikt ze bemoedigend toe. Ze kijken haar een beetje schuldbewust aan.

'Het is allemaal heel verwarrend,' schudt de ene agent.

'Ja, dat is zo. Maar daar komt verandering in,' knikt ze nog een keer. De agenten lopen naar de auto en starten.

'Toe maar, jongens. Ga maar gauw,' roept Schaap.

'Tot zo,' zwaait Bram.

'Moeten die idioten mee?' vraagt Wichard nog, maar Schaap wuift: 'Rijden!' Dan zegt ze tegen Lia: 'Kom, kind, wij gaan alvast heel veel lekkere dingen klaarzetten, koffie maken en het bad vullen. O! En het afwasteiltje! Er heeft iemand ontzettend last van zijn voeten.'

Paul en Rob ondersteunen Sanne zoveel mogelijk, maar het is een martelgang naar beneden.

'Nog maar een klein stukje. Dan zijn we bij de weg,' belooft Paul telkens. Hij volgt de aanwijzingen van Bram op en weet dat ze nog een heel stuk moeten lopen voordat ze bij de plek zijn waar de jeep kan komen.

'Je voeten bloeden,' wijst Sanne huilend.

'Maakt niet uit, lieverd. Dat gaat wel weer over,' sust Rob.

'Zullen we even uitrusten?' smeekt ze.

'Straks. Steun maar op mij. We moeten volhouden. We zijn er bijna,' dringt Paul aan. Hij weet dat hij beter niet kan toegeven aan Sannes smeekbede. Als Rob eenmaal gaat zitten, loopt hij geen stap meer. En ook Sanne is totaal uitgeput. Alleen de honden lopen nog steeds kwiek rond. Als het mobieltje in zijn zak rinkelt, weet hij meteen dat het Wichard is.

'Bram heeft besloten om de gok te wagen. We rijden de oude steenweg naar beneden en hopen maar dat de regen geen grote gaten heeft geslagen. Als het lukt, kunnen we jullie bij het kleine riviertje al oppikken,' zegt Wichard.

'We moeten nog een kilometer, schat ik. Maar het gaat zo moeizaam. Rob loopt op blote voeten en Sanne kan niet meer,' fluistert Paul. Maar Sanne heeft het gehoord en ze begint weer te huilen.

'We gaan bijna van het asfalt af. Nog even, dan zijn we bij jullie. Hou vol. En anders gaan jullie maar zitten. Dan halen we jullie wel op,' belooft Wichard. Hij verbreekt de verbinding en zegt tegen Bram: 'Ze zijn aan het eind van hun Latijn. Ik hoorde mijn moeder huilen.'

'Ik moet die agenten vertellen wat we gaan doen, want als ze achter ons aanrijden, dan zitten ze straks vast,' besluit Bram. Hij stopt de auto, pakt de kaart en loopt naar de politiewagen. Daar wijst hij aan op welke weg ze rijden en waar ze heen gaan. Hij laat zien dat het voor een gewone auto te riskant is om naar beneden te rijden en raadt ze aan om te keren en af te wachten.

'Kijk, je ziet, vanaf de rivier zijn alle paden te smal voor een auto. Dus we komen hoe dan ook weer terug,' legt Bram uit.

'Dat is goed,' knikt de agent achter het stuur. 'De recherche is al onderweg. Ze waren erg tevreden over ons besluit.' Bram zwijgt wijselijk en gaat snel terug naar de jeep.

'Snappen Jansen en Janssen het?' vraagt Wichard kritisch.

'Ze hebben complimenten gehad van hun superieuren en zitten nu naast elkaar te glunderen in de auto,' bromt Bram.

'Jammer dat er geen andere weg terug is,' betreurt Wichard. Bram knikt. Hij heeft nu al zijn aandacht nodig om de jeep over de uitgesleten stenen weg te loodsen. Wichard houdt zich met twee handen vast aan de beugels, want hij wordt van de ene kant naar de andere geslingerd. Iedere keer als Bram bang is dat ze met jeep en al zullen omslaan, smoort hij een vloek tussen zijn tanden. Pas als hij het riviertje in zicht krijgt, vloekt hij hardop en zegt: 'Daar kunnen we niet heen. We komen hopeloos vast te zitten. Dat is één grote blubberpoel!'

'Hoe wou je keren dan?' vraagt Wichard nuchter.

Bram vloekt tussen zijn tanden en stuurt de jeep in de modderpoel naast het riviertje. Hij trekt de handrem aan en zegt: 'Voor we proberen te keren, moeten we ze eerst maar opzoeken. Als het goed is, komen ze dat smalle pad af.' Hij wijst naar de heuvel en Wichard loopt erheen, zoveel mogelijk om de modderpoel heen. Hij roept: 'Zijn jullie daar? Mam? Rob? Paul?!' Bram laat een scherp fluitje horen en meteen horen ze geblaf.

'Ze komen eraan,' knikt hij. Even later springt Beau uitgelaten om hen heen en twee tellen daarna is Hazel er, dolenthousiast kwispelend. Wichard heeft tranen in zijn ogen als hij de honden aait. Hij loopt naar het pad en klimt een stukje omhoog.

'Spaar je krachten maar,' waarschuwt Bram. Dan ziet Wichard Sanne afdalen, gesteund door Paul en Rob.

'Mam!' gilt hij. Ze reageert nauwelijks en is volledig geconcentreerd op het lastige pad. Ook Rob en Paul hebben al hun aandacht bij de afdaling en omdat Wichard ziet dat hij alleen maar in de weg loopt als hij verder omhoogklimt, keert hij om en loopt terug. Pas als ze helemaal beneden zijn, zakt Sanne in Wichards armen. Zwijgend staan ze samen. Sanne leunt zwaar op Wichard en hij fluistert: 'Wat ben ik blij dat je er weer bent. Wat ben ik blij.' Ze legt haar arm in zijn nek en kust hem. Dan zegt ze: 'Ik moet zitten.' Ze laat zich meteen zakken en ondersteund door Wichard zakt ze neer op een rotsblok naast het riviertje. Rob gaat naast haar zitten en grijnst naar Wichard, als hij ziet hoe die ontzet naar zijn bebloede blote voeten kijkt.

'Mijn laarzen zijn ergens in de blubber blijven steken,' legt hij kort uit.

'Die jeep zit vast,' wijst Paul.

'Ik ga proberen hem te keren,' zegt Bram. 'Als het niet lukt, moeten we het pad op. Daar staat een politiewagen en als het goed is zijn er hulptroepen onderweg.'

'Ik loop geen stap meer,' zegt Sanne vastberaden.

'Ik was al bang dat je in een soort shock zou zijn, maar dit klinkt helemaal als Sanne,' zegt Rob opgelucht.

'Toch voel ik me wel raar,' zegt ze. 'Net alsof ik helemaal niet blij ben. Alsof ik het nog niet helemaal besef.'

'Ik kan me voorstellen dat het heel onwerkelijk is. Na al die dagen... We weten nog niet eens wat je allemaal hebt meegemaakt,' zegt Paul voorzichtig. Hij denkt aan het huis waar het verbrande lichaam werd aangetroffen en hij beseft dat Sanne daar best eens getuige van geweest kan zijn. Sanne schudt haar hoofd. 'Zoveel heb ik niet meegemaakt. Ik zat vast. Aan het eind werd de situatie wel bedreigend. Maar ik ben het meest bang geweest dat ze me alleen zouden laten. En dat niemand me dan zou vinden.' Ze wrijft vermoeid met haar handen over haar gezicht. Onderwijl is Bram bezig de jeep te keren en ondanks zijn ervaring komt hij steeds dieper vast te zitten. Hij stapt uit en zegt: 'Dit lukt niet. We moeten planken hebben. We lopen naar de politieauto om hulp te halen,' meldt hij.

'Ik loop wel mee,' biedt Paul aan. Samen lopen ze het pad terug. Sanne, Rob en Wichard zitten bij elkaar.

'Ik ben zo blij,' zegt Rob nog maar een keer.

'Ik weet niet eens waarom het was,' zegt Sanne dan. Ze begint zachtjes te huilen.

'Het was om Henk Takken. Hij moest zijn mond houden over bepaalde mensen. Om hem daartoe te dwingen, hielden ze jou vast. Maar nu is hij overleden. Dus hij kan helemaal niet meer praten. Gek genoeg is dat nog steeds niet op het nieuws geweest, dus dat kan de reden niet zijn dat ze je hebben vrijgelaten,' vertelt Rob.

'Ze hebben me niet vrijgelaten. Ze kregen een enorme ruzie en toen heeft een van hen me laten ontsnappen. Ik denk dat hij besefte dat het wel eens verkeerd had kunnen aflopen voor mij. Vandaar.' Sanne kijkt Rob en Wichard aan en zegt fel: 'Maar dat mag de politie nooit weten, hoor je? Hij is nu zelf op de vlucht voor die bende. Want hij heeft ze verraden. Dat is al erg genoeg. Hij hoeft niet ook nog eens op de vlucht voor de politie. Hij heeft me gered.'

'Het is jouw verhaal, liever. Jij vertelt gewoon het verhaal zoals jij het kwijt wilt,' zegt Rob. Hij slaat een arm om haar schouder.

'Dus Henk Takken is dood?' vraagt Sanne.

'Hartstilstand. We hadden nog bedacht om zijn dood in scène te zetten, maar dat was niet meer nodig. Hij ging echt.'

'Wat sneu. Was je niet verdrietig?' vraagt Sanne.

Rob schiet in de lach en zegt: 'Ik had wel wat anders aan mijn hoofd dan verdriet om een vader die ik nooit heb gekend.'

'Wat zal Schaapje blij zijn,' verzucht Wichard.

'Is Schaapje er ook?' vraagt Sanne blij. 'O, straks douchen en eten en zitten en slapen! En jullie zijn er allemaal. Jemig, ik begin nu wel blij te worden.'

'En je hebt mijn oorbellen in,' ziet Rob ineens.

'Maar het briefje is weg,' zegt Sanne. Ze leunt zwaar tegen hem aan en moet ineens weer slikken om haar tranen tegen te houden.

Paul en Bram hebben de politiewagen bereikt en leggen de situatie beneden bij de rivier uit. Nu aarzelen de agenten niet. Ze stappen meteen uit en bellen met de eenheid die in aantocht is. Als ze alles hebben afgesproken, zeggen ze: 'Ze hebben al het materiaal dat nodig is om iedereen hier te krijgen. Er komen brancards en een helikopter. Nog een minuut of tien, dan zijn ze hier.' In de verte hoort Paul gebrom en hij steekt zijn vinger in de lucht.

'Daar komen ze al. Nog even geduld,' knikt de agent.

Als de helikopter is geland en de brancard in rap tempo omlaag gedragen wordt, gaat alles zo snel, dat niemand precies beseft wat er gebeurt. Rob's voeten worden vlug geïnspecteerd, maar de arts wuift de verwondingen snel weg.

'De ambulance brengt je wel naar de Eerste Hulp,' vertaalt Bram voor Rob. Alle aandacht van de artsen gaat uit naar Sanne. Ze wordt meteen aan een infuus gekoppeld en op de brancard gelegd. Er klinken wat snelle instructies in het Frans, de mannen tillen de brancard op en beginnen te lopen.

'Waar brengen ze me naar toe?' gilt Sanne in paniek.

'Je gaat naar het ziekenhuis in Luik,' hijgt Bram die met haar mee rent. Ook Rob doet een moedige poging om op zijn bebloede voeten het stenen pad op te lopen, tot hij in elkaar krimpt van pijn. Wichard en Paul houden het tempo nog het langst vol, maar bij de helikopter aangekomen, moeten ook zij stoppen. De politieagenten houden hen met zachte hand tegen en leggen uit dat het gevaarlijk is dicht bij de helikopter te komen en dat Sanne rechtstreeks naar het ziekenhuis wordt gebracht voor onderzoek.

'Ik wil met haar mee!' roept Wichard wanhopig. Alle moeite blijkt vergeefs. Ze zien nog een laatste flits van Sannes angstige witte gezicht en dan beginnen de wieken te draaien.

'Daar gaat ze,' fluistert Wichard. 'We hadden haar pas terug en nu is ze weer weg. Het voelt net alsof ze opnieuw wordt ontvoerd.'

'Er komt straks een ambulance. Die brengt de andere gewonde naar het ziekenhuis,' vertelt de agent in een poging hen gerust te stellen.

'Maar dan is ze al die tijd alleen. En ze is al zo lang alleen geweest. Dat was juist haar grootste angst,' fluistert Wichard. Hij schudt wanhopig zijn hoofd. Waarom is dit zo gegaan en waarom kon er niemand met haar mee?

Onderwijl ligt Sanne in de helikopter met een brok in haar keel van angst.

'Waar ga ik naar toe?' vraagt ze aan de mensen voorin. Maar niemand reageert op haar Nederlands en als ze de vraag in haar beste Frans stelt, is er ook niemand die omkijkt. Dan ziet ze dat beiden een koptelefoon dragen en haar niet kunnen horen.

Ze heeft een infuus in haar hand en ligt aangesloten op apparatuur die haar hartslag registreert. Pas als ik een hartritmestoornis krijg, kijkt er iemand om, bedenkt ze. Ze ligt bovendien zo vast ingesnoerd op de brancard, dat ze haar armen en benen niet kan gebruiken. Ik word weer ontvoerd. Dit zijn leden van de bende, denkt ze. Tranen lopen over haar wangen. Alles is voor niets geweest. Tevergeefs. Ze hebben me weer te pakken en nu zullen ze me niet meer laten ontsnappen. Want Dragan is er niet meer bij om me te helpen. Als de helikopter de landing inzet, begint ze te hyperventileren van angst.

De broeders die Rob op de brancard leggen, zweten en hijgen en vloeken.

'Nondedju, wat een baan,' hijgt de voorste. Ze ploeteren zich een weg tussen de keien door omhoog.

'Het is wel een mooie baan, toch,' vindt Paul, die naast hen loopt en een handje meehelpt met het versjouwen van Rob. De broeder kijkt hem hoofdschuddend aan en Bram, die aan de andere kant loopt, schiet in de lach.

'Hij bedoelt zijn beroep niet. Hij bedoelt de weg,' legt hij uit.

'Als de baan van asfalt is, kunnen we die brancard gewoon laten rijden. Maar nu tillen we ons een breuk,' puft de broeder. De zweetdruppels parelen op zijn voorhoofd. 'Gaat hij ook naar het ziekenhuis in Luik?' vraagt Wichard terwijl hij op Rob wijst. De broeders knikken.

'Hetzelfde ziekenhuis als waar mijn moeder heen is gebracht?'

'Ja, die helikopter is ook van ons hospitaal,' beaamt de achterste. 'Waarom mocht er eigenlijk niemand met haar mee?' vraagt Wichard door.

'Voor het gewicht. En de snelheid. En de brandstof. Alles is erop ingericht dat de helikopter alleen het slachtoffer meeneemt. Het liefst nemen ze die ook niet mee,' vertelt de ambulancebroeder. 'We waren verbaasd dat je moeder mee mocht. Voor zover we het nu begrijpen was haar toestand helemaal niet zo ernstig, nietwaar?'

'Misschien was ze meer uitgeput dan we zagen,' veronderstelt Wichard.

De broeders kreunen van het gewicht van de brancard en de achterste roept: 'Even stoppen, Louis. Ik ben kapot!' Ze houden halt en zetten de brancard neer.

'Het spijt me echt,' zegt Rob nederig.

Paul lacht. 'Ja, dat zeg je nu! Maar jij ligt daar lekker en wij moeten voor de zoveelste keer die berg op!'

'Mag ik straks wel meerijden met de ambulance?' vraagt Wichard.

'Natuurlijk,' zegt de man. Hij spuugt in zijn handen en vraagt aan zijn collega: 'Gaan we weer?'

'Toe maar,' knikt die.

'Goddank. Nog even en dan zie ik Sanne weer. Ik ben er misselijk van dat we haar zomaar alleen moesten laten gaan,' verzucht Rob vanaf de brancard.

Als Sanne op de brancard uit de helikopter wordt getild, houdt ze haar ogen stijf dicht van angst. Ik wil jullie niet zien. Ik wil jullie niet kennen, herhaalt ze in gedachten. Ze versnelt haar ademhaling en begint te trillen.

'Vite, vite,' snauwt een stem ongerust. Even voelt ze een frisse wind over haar gezicht en dan is ze in een kleine ruimte. Een lift? Ze beeft nu over haar hele lichaam en voelt dat ze flauw gaat vallen. De brancard komt onzacht in aanraking met de muur en Sanne kreunt. Dezelfde stem snauwt nu nog feller. Ze merkt hoe vingers in haar hals voelen en dan verliest ze haar bewustzijn.

Als Sanne haar ogen opslaat, is ze tot haar stomme verbazing omringd door ziekenhuispersoneel.

'Daar bent u weer,' zegt een man in een witte jas. Bruine ogen kijken haar vanachter brillenglazen vriendelijk aan. Een wat oudere verpleegster met zilverwit haar glimlacht haar toe.

'Mooi zo. Niks aan de hand,' zegt ze.

'U bent helemaal stabiel en u mankeert niets. Die flauwte was

141

wellicht emotie en misschien ook angst vanwege het vliegavontuur. Een lichte shock, dat is alles,' stelt de man met het zilveren montuur haar gerust.

Sanne schraapt haar keel. Nu bemerkt ze ook dat ze op een ziekenhuisbed is getild en dat haar armen en benen niet langer zijn ingesnoerd. 'Ik...' begint ze. Maar ze is zo schor dat ze geen woord kan uitbrengen.

'U gaat naar een kamer en daar kunt u verder tot rust komen,' knikt de verpleegster. 'Dan komt de dokter u straks nog even opzoeken.' Een forse broeder duwt haar bed de gang op. Weer lopen er tranen over haar wangen, maar nu van opluchting. De broeder stopt en duwt haar een papieren zakdoekje in haar handen.

'Kijk eens,' bromt hij.

'Dank u,' fluistert Sanne. Op de kamer mag ze vertellen wat ze graag wil. Een douche, schone kleren, eten en koffie. Haar stem komt terug en ze lacht om het rijtje wensen.

'In die volgorde,' knikt ze. Maar de douche moet nog even wachten. 'Daar moet ik toestemming voor vragen aan de arts. De rest komt eraan en de koffie haal ik meteen,' belooft de broeder. 'Als er iets is, moet u bellen.' Hij geeft haar een belknop in haar handen en knikt haar nog eens vriendelijk toe. Als hij de kamer uit is, doet Sanne even haar ogen dicht. Zo moe... Maar ze doet haar ogen weer open als ze de deur hoort dichtslaan. Twee mannen in donkere regenjassen zijn de kamer binnengekomen. De voorste staat bijna bij haar bed, als hij zegt: 'Mevrouw Van den Broek? Recherche. We willen u even een paar vragen stellen.' Hij trekt een stoel bij en gaat zitten. De andere man is bij de deur blijven staan.

'Ik ben veel te moe,' werpt Sanne tegen. De man reageert daar niet op. Hij slaat zijn benen over elkaar en Sanne bemerkt dat hij eigenlijk veel te dik is om ontspannen in die houding te blijven zitten. Hij trekt een notitieblokje en een pen uit zijn binnenzak en vraagt: 'Hoe bent u uit die kelder gekomen?'

'Hoe heet u eigenlijk?' vraagt Sanne vermoeid.

'Sonnevelt. Maar ik stel de vragen. Hoe bent u uit die kelder gekomen?'

'Welke kelder?'

'We gaan geen spelletjes spelen,' sist de man.

'En we gaan ook geen verhoor afnemen,' zegt Sanne. Ze drukt op de belknop.

'U hebt hulp gehad. Van wie?' De man kijkt haar indringend aan.

'Ik ben erg moe,' zegt Sanne. Ze drukt weer op de bel. Dan zegt de dikke rechercheur tegen zijn collega: 'Ze belt. Hou het personeel op de gang even tegen.' De deur gaat weer dicht en het dikke mannetje is nu gaan staan. Hij buigt zich over Sanne en zegt: 'Vertel maar. Dan laat ik je met rust. Hoe ben je uit die kelder gekomen? Wie heeft je geholpen? Wat weet je allemaal? Wil je rust? Dan zul je het gewoon moeten vertellen. Dan krijg je alle rust van de wereld.'

'De deur stond open en ik ben gewoon weggewandeld. Niemand heeft me gezien en ik heb ook niemand gezien.' Sanne kijkt de man vol in zijn gezicht. 'Zo. En nu wegwezen.' Ze drukt weer nadrukkelijk op de belknop.

'Ik geloof je niet. Gek hè?' fluistert de man.

'Ik wil een identificatie zien,' zegt Sanne woedend. 'Ik wil alle gegevens. Naam en nummer en alles. Dit pik ik niet. En u krijgt nadrukkelijk geen toestemming om mij te tutoyeren. Nu niet en nooit. Bovendien zal ik vanaf nu niets meer zeggen.' Ze haalt diep adem en komt overeind. Als er niemand op die bel reageert, dan ga ik zelf de gang op, besluit ze. De dikke man schrikt er een beetje van. Hij deinst terug en zegt sussend: 'Nee, nee, niet doen! U bent patiënt. Houdt u nou rustig! Ik doe ook alleen maar mijn werk en u moet me gewoon vertellen wat u weet. Dan bent u van me af. Zo simpel is het. Wat gaat u nu doen?' Sanne heeft inmiddels haar benen naast het bed laten bungelen en gaat staan.

'U kunt vertrekken of ik ga hier weg,' zegt ze rustig. Hij kijkt haar paniekerig aan. Inmiddels hoort ze zijn collega op de gang zeggen: 'Mevrouw is zo klaar. Dan kunt u naar binnen. Mijn collega heeft even een kort gesprek met haar.'

'Dat gesprek is allang beëindigd,' roept Sanne. 'Kom maar binnen! Is dat mijn koffie?' Ze staat nu rechtop en de rechercheur kreunt: 'Doe nou geen onverstandige dingen. Ga nou liggen en praat gewoon even met me. Wat hebt u te verbergen dat u zo reageert?'

'Te verbergen? Nou nog mooier! Alsof ik van iets verdacht word!' roept Sanne woedend. Buiten hoort ze dat de broeder zijn stem verheft en roept: 'Stap opzij, meneer. Anders roep ik onze beveiligingsdienst en dan wordt u eruit gezet.' Als hij binnenkomt met de koffie, houdt de dikke rechercheur meteen twee handen in de lucht. 'Ik weet het, ik weet het. De dokter heeft nog geen toestemming gegeven. Maar we hebben haast, want mevrouw kan ons cruciale informatie geven over de bende die haar heeft ontvoerd en over de moord op het bendelid.'

'De moord?' herhaalt Sanne geschrokken.

Ze laat zich meteen weer op het bed zakken. Een moord? Op een bendelid? Dat kan alleen maar Dragan zijn. Ze hebben hem gevonden en vermoord.

'Ik voel me niet goed,' verzucht ze. De broeder duwt meteen de rechercheur opzij en commandeert: 'Nu allemaal eruit. Mevrouw is totaal verzwakt. Wegwezen.' Hij houdt Sannes pols vast en kijkt op zijn klokje. Inmiddels komen er nog twee verpleegkundigen naar binnen gerend.

'Vraag de arts of we haar een kalmerend middel mogen geven,' vraagt de broeder. De dikke rechercheur aarzelt nog.

'Eruit,' gebiedt de broeder resoluut. Sanne ziet tussen haar oogharen door dat ze alle twee afdruipen.

'Het lijkt wel alsof u een misdaad hebt gepleegd. Terwijl u toch het slachtoffer bent,' moppert de broeder gemoedelijk. 'We gaan straks naar de röntgenafdeling. En ik laat u geen moment meer alleen,' belooft hij haar. Ze glimlacht erom en doet haar ogen dicht. Even wegdoezelen, denkt ze. Even maar.

Rob wordt binnengebracht op de Eerste Hulp en Wichard zegt: 'Ik ga meteen op zoek naar mam. Jij loopt hier toch niet weg.' Rob grijnst pijnlijk. 'Zo gauw ik kan lopen, kom ik achter je aan,' belooft hij.

Paul en Bram zitten op de achterbank van de politieauto die hen terugbrengt naar huis. 'Schuif eens een beetje op, Beau,' bromt Bram tegen de enorme hond die nat en modderig naast hem zit. 'Ik stik zowat,' kreunt Paul, die Hazel op schoot genomen heeft. 'Jullie mogen de auto straks van binnen wel uitspuiten,' raadt hij de twee agenten aan. Hazel kwispelt en probeert hem een lik op zijn gezicht te geven.
'Mijn hemel, als die hond haar staart beweegt, zitten de modderspatten op de voorruit,' moppert de ene agent.
'Rij nou maar door,' bromt de andere chagrijnig.

'Mam?' Sanne doet meteen haar ogen open. Wichard staat in haar kamer en lacht haar toe. 'Rob is beneden, bij de Eerste Hulp. Ik ga hem zo ophalen. Wanneer mag je weg?' Hij geeft haar een voorzichtige kus op haar wang.
'Zo, dat is bezoek met een heel andere toon,' glimlacht de broeder.
'Dat is mijn zoon, Wichard,' stelt Sanne voor. Ze schudden handen en de broeder, die Alphons blijkt te heten, vertelt: 'Je moeder moet nog even naar de röntgenafdeling voor haar arm, maar verder is haar conditie boven verwachting. Ik verwacht de dokter elk ogenblik.'
'Ga Rob maar halen,' knikt Sanne blij. 'Ik wil hier zo snel mogelijk weg. Lekker naar huis.'

145

Het gaat allemaal nog sneller dan ze verwacht hadden. Robs voeten worden schoongemaakt en verbonden. Hij krijgt instructie hoe hij ze verder moet verzorgen en een afspraak voor controle.

'Probeer uw voeten zoveel mogelijk te ontzien,' raadt de dokter hem bij het afscheid aan.

'Daar helpen ze me zelf wel aan herinneren,' knikt Rob. Wichard rijdt hem in een rolstoel naar de röntgenafdeling, waar Sanne inmiddels naar toe gebracht is.

'Dit is de laatste plek waar ik vandaag heen ga zonder jou,' belooft Sanne aan Rob, vlak voordat ze de afdeling wordt opgereden.

'Daar houd ik je aan,' zegt Rob ernstig.

Vier uur later ligt Sanne in bad. Haar pols zit in het gips en de arm rust op de zijkant van het bad, waar Schaapje een handdoek en plastic opgelegd heeft. Rob zit naast haar met zijn voeten in verband. Hij voert haar kaasstengels en kleine slokjes rode wijn. In de kamer hoort ze Wichard lachen en babbelen met Paul, Lia en Bram. Juffrouw Schaap toetert door de kier van de deur: 'Hebben jullie nog? Of is het tijd voor een nieuwe voorraad?'

'Niets ontbreekt ons,' antwoordt Rob.

'We zijn helemaal gelukkig,' zegt Sanne. Maar meteen denkt ze aan Dragan. Zou hij echt vermoord zijn door de bendeleden?

Na het bad besteden ze tijd aan het bellen van iedereen die Sanne even persoonlijk wil spreken. Yvonne huilt van opluchting als ze Sannes stem hoort.

'Ik had het natuurlijk al gehoord van Wichard, maar het is net alsof het nu pas echt is. Ik ben zo blij. Ik ben zo blij,' snikt ze. Daan en Abel zijn helemaal niet meer stil te krijgen.

'Sanne, wij houden van je, hoor! We hebben zo voor je gebeden! Ja, dat is toch zo? Au, Abel, blijf af! Die jongen probeert de hoorn uit mijn handen te krabben! Au!'

'Sanne? Ik ben het, Abel! Daan met zijn gebeden. Je zult wel denken, wat een stel! Maar we hebben kaarsjes voor je gebrand, lieverd. Elke avond een kaarsje bij een klein Mariabeeldje hier verderop. In een kapelletje. Ja, je weet nooit, hè, schat? Baat het niet, dan, snotverdorie, Daan, hou nou eens op met je gekakel. Hij kletst er dwars doorheen, die...'

'Sanne? Ja, schat, hier is Daan weer. We zijn toch zo blij en dan gaat Abel zo'n heel zemelverhaal ophangen over die kaarsjes. Je zult wel denken, hè? Au!'

Tuuttuuttuut...

Sanne veegt de tranen uit haar ogen van het lachen.

'Wat zeiden ze allemaal?' vraagt Rob.

'Dat is met geen mogelijkheid te herhalen,' schudt ze.

Ze belt met Cathy en moet tegen haar schreeuwen om te voorkomen dat haar zus meteen in de auto springt en naar haar toe komt. En daarna kijken ze samen naar het late nieuws. De zender opent met het nieuws dat er een vermoord en verbrand lichaam is gevonden tijdens een inval in een woning van waaruit vermoedelijk terroristische activiteiten werden gepland. Sanne zit op het puntje van haar stoel. Bij het zien van de beelden van het huis, gieren de zenuwen door haar keel. Iedereen om haar heen is stil en gespannen.

'Dit is heel raar om te zien,' fluistert ze.

'Vroeg in de middag trof de politie het lichaam aan van...' meldt de nieuwslezeres.

'Vroeg in de middag al?' vraagt ze.

'Ja, het was twaalf, één uur,' beaamt Rob.

Toen liep ik nog met Dragan door de heuvels, op de vlucht voor de bende, bedenkt Sanne. Het was Dragan dus niet. Maar ze blijft gespannen toekijken of zij ook een onderdeel zal vormen van het nieuwsitem. Weten ze dat ik daar gegijzeld ben geweest?

Pas als het onderdeel is afgerond en opgevolgd door een bericht over een jonge jongen die midden in de nacht op een landweg een losgebroken koe heeft aangereden, zakt ze opgelucht achterover in de kussens van de bank. Ze veert weer op als de lezeres voorleest: 'In de koepel van Haarlem is vanochtend onverwacht overleden Henk T. Henk T. zat al geruime tijd vast op verdenking van levering van chemische oorlogsmiddelen. Met name de levering van...'

'Hé,' zegt Rob verbaasd. 'Nu brengen ze het wel als nieuws. Maar dat tijdstip klopt helemaal niet!'

Iedereen kijkt verbaasd toe als de advocaat van Henk T. in zijn commentaar beweert dat T. al geruime tijd aan een hartkwaal leed.

'Wist jij dat?' vraagt Sanne aan Rob. Die schudt zijn hoofd.

'Het is jammer dat hij nu niet langer zijn onschuld kan bewijzen,' verzucht de advocaat op televisie. Inmiddels is er een wazige foto van Henk Takken in beeld gebracht met een zwarte balk voor zijn ogen.

'Dat slaat ook nergens op, zo'n foto,' bekritiseert Rob. 'Dat zouden wij niet plaatsen in de krant.'

'De journalist in je ontwaakt,' lacht juffrouw Schaap. 'Dat is een goed teken. Maar aan de andere kant weet je veel meer dan de rest van je collega's. Ga je met die wetenschap iets doen?'

'Nee,' zegt Rob meteen. 'Daar heb ik al langer over nagedacht. Ik wil hier niets mee. Ik wil dit verwerken en dan door. Samen met de vrouw van wie ik houd.' Hij slaat zijn arm voorzichtig om Sanne heen en kust haar op haar wang.

'Dat lijkt me een goed idee,' knikt Schaapje. 'Laten we daar maar op drinken.' Ze heffen hun glas en knikken elkaar toe.

Het is voorbij. Eindelijk, bedenkt Sanne. Niemand loopt meer gevaar, want Henk Takken kan nooit meer vertellen wat hij weet. Dus ik ben veilig. En Wichard en Rinke zijn veilig. En Rob is veilig. Alle mensen die me lief zijn, zijn vanaf nu veilig. Ze krijgt tranen in haar ogen bij die gedachte. Was Rob maar nooit op zoek gegaan naar zijn vader. Dan was het nooit gebeurd. Maar je kunt de dingen niet terugdraaien. Ik moet het vergeten. Nee, dat zal niet lukken. Dat hoeft misschien ook niet. Ik moet het verwerken. En blijven beseffen dat er nu geen dreiging meer is. Niet voor mij. Maar voor Dragan misschien wel. Hij heeft zijn bendeleden verraden. De gedachten tollen door haar hoofd.

'Ben je moe?' vraagt Rob bezorgd, als hij ziet dat ze met haar hand over haar voorhoofd wrijft. Ze knikt.

'Ik heb nog een glas kruidenthee. Dat moet je even drinken,' zegt juffrouw Schaap. Sanne wacht braaf tot Schaapje terugkomt uit de keuken met een glas hete thee.

'Voor een helende nachtrust en helder inzicht,' zegt Schaapje, terwijl ze de thee voor Sanne op tafel zet. 'De komende drie weken moet je iedere avond een glas nemen.'

De drie weken worden maanden. Iedere avond drinkt Sanne een glas thee en angstige dromen uit het begin worden herinneringen. De angst vervaagt langzaam en heel af en toe beseft ze dat ze de hele dag al niet aan de gijzeling gedacht heeft. Haar arm is al lang genezen. Ze werkt op de camping, past op haar kleindochter Rinke, gaat uit eten met Yvonne en logeert een weekend bij Daan en Abel. Af en toe brengt ze een bezoek aan Cathy, maar het meest zoekt ze juffrouw Schaap op, die haar altijd met een paar woorden weer op het juiste spoor kan brengen.

'Kracht te veranderen wat je moet veranderen, de moed om te aanvaarden wat je niet kunt veranderen, en de wijsheid om tussen die twee onderscheid te maken,' mompelt ze vaak een wijze les van juffrouw Schaap na. Vooral het verzamelen van moed om te aanvaarden vindt ze een hele opgave. Want vaak gaan haar gedachten naar Dragan en vaak wenst ze te weten hoe het met hem is afgelopen. Zou hij gelukkig zijn? Ontsnapt zijn aan die boevenbende? Hij is niet slecht, dat weet ze zeker.

'Lieve schat, dat noemen ze nu het Stockholmsyndroom,' heeft Rob haar gezegd, toen ze eens voorzichtig haar gedachten met hem probeerde te delen. En toen ze hem vragend aankeek, legde hij uit: 'Het syndroom dat de gegijzelde zich uiteindelijk gaat identificeren met de gijzelnemer. Denk maar aan Patty Hearst, de dochter van de krantenmagnaat. Die sloot zich zelfs actief aan bij die bende!' Sanne beseft dat ze er niet met Rob over kan praten. Rob vindt het beter er maar niet meer over te praten. In zijn eentje bezocht hij de crematie van Henk Takken en daarna heeft hij nooit meer over zijn vader gesproken. 'Zonde van de woorden,' merkte hij ooit op, toen Paul een avondje op visite kwam. Misschien heeft hij ook wel gelijk, bedenkt Sanne soms. Misschien is het wel vreemd dat ik nog aan Dragan denk. De moed te aanvaarden wat je niet kunt veranderen. Sanne zucht. Donkere dagen rond Kerstmis. Zoveel om dankbaar voor te zijn en toch zoveel onrust.

Als Rob thuiskomt, glimlacht ze hem toe. Even geen muizenissen, heeft ze zich voorgenomen. Hij slaat twee armen om haar heen en zegt: 'Verrassing! In mijn binnenzak!'

'Wat heb je dan?' vraagt Sanne nieuwsgierig.

'Strakjes,' lacht hij. Hazel draait opgewonden rondjes om hen heen en Rob zegt: 'Eerst het hondje eten geven, hè?'

'Niks ervan,' vindt Sanne. Ze kietelt hem snel in zijn zij en als hij in elkaar duikt, pakt ze een papier uit zijn binnenzak.

'Ik heb het al!' lacht ze triomfantelijk. Ze leest, terwijl Rob in de keuken de bak voer voor Hazel klaarmaakt. Het is een e-mail, waarin Rob bevestigd krijgt dat hij een speciale persreis voor twee personen gaat maken naar Samos, inclusief autohuur en verblijf in een familiehotel. Zes dagen wandelen, om het eiland te beschrijven in een periode dat de grote vakantiegolf nog niet toeslaat, maar waarin het eiland juist zo prachtig is om te ontdekken. 'In de zomermaanden is de enige wandeling die u waarschijnlijk zou willen maken die van het strand naar de bar en omgekeerd. Deze reis is nu juist bestemd voor mensen die niet geven om zo'n soort vakantie.'

'Klinkt goed,' knikt Sanne naar Rob.

'We gaan samen,' zegt hij. 'Heerlijk wandelen en genieten. En eten, natuurlijk. Ik ben dol op Grieks eten. En 's avonds genieten van een goed glas wijn, beetje kijken naar de zee. Ik heb er nu al zin in.'

'Hoe kom je hieraan?' vraagt ze.

'Er waren twee persreizen in de maand maart die we mochten verloten. Ik heb deze gewonnen. Die andere was een all-inresort in Turkije, helemaal gebouwd op z'n namaak-Hollands. Zoiets heb je nog nooit gezien! Allemaal grachtenpanden, molens en tulpen. Daar moet Mulder heen, van de kunstredactie. Het was nog voor één persoon ook, die is nu totaal ingestort! We hebben ons suf gelachen,' vertelt Rob. Sanne lacht: 'Samos in het voorjaar klinkt fantastisch. Er zijn vast veel bloemen dan. Heerlijk zeg!'

Die avond lopen ze samen over het donkere bospad naar de zandverstuiving en Sanne merkt dat ze voor het eerst sinds lange tijd niet loopt te piekeren. Ze geniet van haar ademhaling die wolkjes condens maakt in de koude nacht en van het geluid van hun voetstappen op het bevroren pad. Hazel rent vooruit en komt af en toe kwispelend terug om even haar natte neus tegen hun handen te duwen.

'Het gaat goed met je, hè?' merkt Rob op. Sanne knikt. 'Ja.'

'Zullen we met oudjaar naar België gaan?' vraagt hij verlangend. Ze houdt even haar adem in. Natuurlijk had ze de vraag half en half verwacht. Al die maanden zijn ze niet naar het huis gegaan. Sanne is er nooit over begonnen, want ze vond het wel prima om die plek even te vermijden. Met de kerstdagen waren Wichard, Rinke, juffrouw Schaap en Rokus bij hen te gast en Sanne genoot van de ongedwongen sfeer en de gezelligheid. Voor de jaarwisseling hebben ze geen afspraken gemaakt en van tijd tot tijd dacht ze eraan hoe heerlijk ze het vorig jaar hadden gehad. Hoe mooi het er was en hoe rustig.

'Er ligt sneeuw, hoorde ik van Bram. Die e-mailde me laatst, want Lia heeft een nieuw paardje gekocht,' vertelt Rob.

'Kun je in België stroomstokken kopen?' vraagt Sanne ineens.

'Geen idee,' zegt Rob onthutst. 'Hoe kom je daar nou zo ineens bij?'

'Ik wil iets bij me hebben als ik ga wandelen. Iets waardoor ik me veilig voel.'

'Maar er is toch helemaal geen gevaar meer?' zegt Rob zachtjes. Hij stopt en gaat voor haar staan. 'Dat weet je toch? Je bent helemaal veilig!'

'Dat weet m'n hoofd,' zegt Sanne. 'Angst zit blijkbaar ergens anders.'

Hij houdt haar even stevig vast en besluit dan: 'We kopen iets. Zo'n stroomstok of pepperspray, weet ik het. En je gaat niet alleen wandelen. Behalve als je dat zelf echt wilt. Omdat je me even zat bent. Afgesproken?'

'Afgesproken.' Ze krijgt een zoen op haar voorhoofd en ze lacht hem geruststellend toe. 'Dan wil ik wel naar de Ardennen.'

Op oudejaarsavond is alles wit in de Ardennen. Een flink pak sneeuw heeft een geluidsisolerende laag aangebracht rond het huis en de stilte is adembenemend, vindt Sanne. Ze hebben overdag een lange wandeling gemaakt met Hazel. Nu zitten ze samen voor de kachel. De houtblokken knetteren. Sanne heeft twee stoelen tegenover elkaar voor de kachel gezet. Op het kleine tafeltje in het midden staat een schaakspel. Ze piekeren, lachen, doen een zet en corrigeren die weer.

'Eenmaal gezet blijft nu gezet,' besluit Rob opeens.

Sanne schiet in de lach. 'Weet je dat wel zeker? Kijk wat je gedaan hebt! Schaak!'

Rob kijkt. Dan zegt hij: 'Nee, erger. Ik kan nergens meer heen! Mat!'

Sanne kijkt op de klok. 'Vijf voor twaalf. Dit is de eerste keer in mijn leven dat ik gewonnen heb met schaken!' Rob rent naar de keuken en maakt de fles champagne open. Hij schenkt twee glazen in en Sanne zet de televisie aan om de seconden weg te zien tikken. Ze heffen hun glas.

'Op een nieuw jaar met veel geluk en liefde,' zegt Rob. Sanne knikt. En omdat ze besloten hebben naar het vuurwerk te gaan kijken, trekken ze hun jassen aan en wandelen naar het Jachthuis. Het is er druk. Sanne en Rob schudden handen en wisselen goede wensen uit. Lia deelt klapzoenen uit en zegt schor: 'Geen geduvel meer, hè? Het komend jaar, bedoel ik.' Sanne schudt haar hoofd en lacht. Robs mobiel rinkelt in zijn zak, hij pakt hem meteen op. Sanne kijkt naar hem en vraagt zachtjes: 'Wichard?' Maar Rob schudt zijn hoofd. Hij luistert stil en verbijsterd naar de stem die door de telefoon tegen hem zegt: 'Gelukkig nieuwjaar, zoon.'

Zwijgend zitten ze naast elkaar in de auto op weg naar huis. 'Dat telefoontje heeft niks verpest, hoor. Als je dat maar goed begrijpt. Het is alleen maar dat je er niet over wilt praten,' gooit ze er woedend uit.

'Ik had beter helemaal niks tegen je kunnen zeggen,' mompelt Rob.

'Nou! Dat was een goed idee geweest!' prijst Sanne vol sarcasme.

'We hebben het er niet meer over,' beslist Rob voor de zoveelste keer.

'We hebben het er nog helemaal niet over gehad,' werpt Sanne tegen. Hij zwijgt. Zij zwijgt. Ze ziet Rob nog zo voor zich staan, met de telefoon aan zijn oor. Totaal verbijsterd was hij. Ze had een paar keer aangedrongen. Was het Wichard? Nee. Wie dan? Tot hij eindelijk tegen haar zei: 'Dat was Henk Takken.' Hoe kan dat nou? Hoe weet ie dat? Hoe... Ze had allerlei vragen gesteld en de mensen om hen heen hadden nieuwsgierig gekeken.

Sanne besefte dat ze eruit zagen als een stel dat in de eerste minuten van het nieuwe jaar al ruzie aan het maken was en had daarna wat rustiger aangedrongen: 'Rob, zeg het nu!' Waarop Rob had geantwoord: 'Hij zei: Gelukkig nieuwjaar, zoon. En het was zijn stem. Ik wil het er verder niet over hebben.' Daarna had hij er inderdaad geen woord meer aan gewijd. Maar Sanne wilde praten. En bovendien, Rob keerde totaal in zichzelf en kondigde die middag aan: 'Ik ga met Hazel wandelen.' Hij vroeg niet of ze zin had mee te gaan en stapte meteen op. Woest was ze geworden en ook verdrietig en beledigd en buitengesloten. Het kwam niet meer goed. En nu, in de auto, loopt de spanning op.

'Ik wil er met je over praten. Daar zijn we vrienden voor, snap je? Dat zou je met mij moeten willen doen; praten over wat je dwarszit,' zegt ze.

'Er zit me niks dwars,' zegt Rob.

'Als die man niet dood is, dan lopen we nog steeds gevaar,' beklemtoont ze nog maar eens.

'Niet als niemand dat weet,' weerlegt Rob. Dan klemt Sanne haar lippen op elkaar en neemt zich voor helemaal niet meer te praten.

Als Rob onderweg stopt om te tanken, doet ze de achterklep open om Hazel eruit te laten.

'Kom maar! Ga je mee?' Opgelucht dat ze weer even geluid kan maken, aait ze de hond over haar bol. Aan de zijkant is een enorme strook gras en ze loopt een stukje heen en weer langs de picknicktafels die nu allemaal leeg zijn. Het is behoorlijk koud, ze wrijft haar handen en stopt ze in haar zakken. Dan slentert ze weer terug naar de auto, laat Hazel in de achterbak springen en stapt in.

'Koud, hè?' knikt Rob. Ze zegt niets, maar hij lijkt het niet op te merken. Thuis neemt hij gelijk Hazel mee naar buiten.

'Tot zo,' groet hij, vlak voordat hij de deur dichttrekt. Sanne aarzelt. Wat nu? Dit wordt niet echt gezellig, beseft ze. Dan haalt ze diep adem en besluit de logeerkamer te pakken. Voordat hij terug is, lig ik in bed. Met de deur op slot, neemt ze zich voor. In razend tempo poetst ze haar tanden en duikt het bed in. Stil ligt ze te luisteren naar de geluiden die Rob maakt als hij binnenkomt en Hazel nog iets lekkers geeft. Dan hoort ze de trap kraken. Ze hoort aan de voetstappen precies waar Rob is en houdt haar adem in als hij de slaapkamer inkomt en verbaasd zegt: 'Sanne? Waar ben je?' Hij loopt terug naar de badkamer en ziet dat die leeg is. Dan hoort ze hoe hij aan de deur van de logeerkamer voelt. Zonder een woord te zeggen laat hij de deur los en gaat de badkamer in. Ze hoort hem tanden poetsen en daarna het geluid van de douche. Even later is alles stil. Hij ligt in bed. En ik lig hier. Waarom is die man zo stronteigenwijs? Hoe leer ik hem gewoon praten over wat hem bezighoudt? Over wat mij bezighoudt? Benauwd wordt ze van alle vragen, maar nog benauwder van het enige antwoord dat haar constant te binnen schiet: dat leer je hem in ieder geval niet op deze manier! Het is al vroeg in de ochtend als ze eindelijk in slaap valt.

Sanne wordt wakker van de telefoon. Meteen heeft ze haar ogen wijd open. Hè? Hoe laat is het?! Ze grabbelt naar haar horloge en ziet tot haar schrik dat het al halftien is! Ze springt uit bed, draait de sleutel om en rent naar de telefoon die op haar slaapkamer staat.

'Hè, hè. Lag je nog in bed, schone slaapster?' vraagt Rob. En meteen daarop: 'Lieverd, ik weet het. Ik ben een sufferd. Vanavond gaan we praten. Heus waar. Ik zit nu op m'n werk en ik heb ook eens gebeld met Paul om te overleggen. Die vindt ook dat we moeten praten. Ik kan er niks aan doen, ik sla dicht en hoop dat alles vanzelf overgaat als je er maar geen aandacht aan besteedt. Dat kan natuurlijk niet. Wil je me vergeven en alsjeblieft vanavond samen met me eten en praten? Ja? Alsjeblieft?'

Sanne moet even het puntje van haar tong afbijten om niet te zeggen: O, dus als Paul vindt dat je moet praten, dan wil je ineens wel? Maar ze denkt het wel. Dus zegt ze koeltjes: 'Goed hoor.' Rob accepteert de koude douche gelaten.

'Ik neem eten mee. Je hoeft niks te doen. Dag, lieverd. Tot van-avond.'
'Dag,' zegt Sanne.

Ze praten samen, Sanne en Rob. Het lucht een beetje op.
'Een oplossing heb ik natuurlijk niet, lieverd,' zegt Rob die avond. 'Ik heb geen idee wat er aan de hand is. Ik heb me suf gebeld, maar niemand weet iets. De AIVD houdt officieel vol dat Takken dood is en Paul heeft echt geen idee hoe de vork n de steel zit. Ik weet alleen zeker dat het Henk Takken was. Hij zal ons verder wel met rust laten. De rest van de wereld denkt im-mers dat hij dood is? En als hij verstandig is, zal hij dat graag zo houden.' Twee armen om haar heen zijn even voldoende om alle angst te doen verdwijnen.
'Ik ben alleen al blij dat we er gewoon over kunnen praten,' fluis-tert ze.
De hele week zorgt ze voor Rinke, omdat Wichard druk bezig is zijn btw-administratie in orde te maken.
'Lekker, mam. Sinds ze op school zit, heb ik het idee dat ik con-stant aan het brengen en halen ben,' zegt Wichard opgelucht.
Sanne geniet van de wandelingen naar het schooltje, samen met Hazel. Het is heerlijk winterweer, kraakhelder en vrijwel wind-stil. Als ze op vrijdagochtend staat te wachten tot de schoolbel gaat, raakt ze aan de praat met een vrouw die zich bukt om Hazel uitgebreid te aaien.
'O, bent u de oma van Rinke? Wat leuk! Ze speelt vaak bij mijn dochter, Eva. Ik ben Esther. Esther Loverkamp.' De vrouw steekt haar hand uit.
'Aangenaam,' zegt Sanne. 'Zeg maar Sanne. Dat klinkt leuker dan oma.' Ze lachen. Dan vertelt Esther: 'Laatst hadden de mei-den zo'n raar verhaal over een opa. Die had ze aangesproken tij-

dens de pauze. Heb jij Rinke daarover gehoord? Het was me helemaal ontschoten, maar door het woord 'oma' denk ik er ineens aan.' Sanne schrikt.

'Een opa? Wat zei hij?'

'Dat weet ik niet precies. Ze zijn nog zo klein, hè? Ik had het idee dat het gewoon een aardige man was die om een praatje verlegen zat. Toch dacht ik toen wel dat ik de juf moest vragen om dat goed in de gaten te houden. Ik hou er niet van als ze met vreemden praten. Je hoort zo vaak rare verhalen. Ja toch?' Esther kijkt haar vragend aan en merkt dan op: 'Joh, wat is er? Je ziet er zo geschrokken uit! Het was helemaal niet mijn bedoeling om je van streek te maken. Er is ook niks gebeurd, hoor.'

'Hoe zag die man eruit?' vraagt Sanne. Ze is hees van ongerustheid. Stel nou dat Henk Takken hier rondloopt en nieuwsgierig is naar haar kleindochter. Wat dan? Ze lopen gevaar. Ze lopen allemaal gevaar. Sanne voelt het bloed door haar slapen gonzen. Ze kijkt Esther strak aan en wacht.

'Ik heb geen idee. Een oude man. Dat was alles wat de meiden me verteld hebben.'

'En wanneer was dat?' Sanne vraagt het op een toon alsof ze een dordograadsverhoor afneemt.

'Joh! Rustig maar! Vlak voor de kerstvakantie. Maar er is echt niks aan de hand!' Esther zegt het zo kalmerend mogelijk, maar Sanne is niet meer te houden. Ze loopt naar de schooldeur, vastbesloten om de juf van Rinke aan te spreken op haar oplettendheid. Net als ze bij de deur is, gaat de bel. Als Rinke op haar afhuppelt, pakt ze meteen de hand van haar kleindochter vast en zegt: 'Kom, we gaan even naar je klas. Blijf, Hazel.' De labrador blijft kwispelend achter, blij met alle knuffels die ze van de schoolkinderen krijgt.

'Ga je met juf praten, oma Sanne?' vraagt Rinke. Sanne knikt. Als ze Rinkes juf ziet praten met een collega, onderbreekt ze meteen het gesprek. Ze pakt de juf bij haar mouw en zegt dringend: 'Luister. Ik heb gehoord dat hier in de pauzes een oude man is geweest die gepraat heeft met Rinke. Ik eis dat u daarop toeziet. Ik wens absoluut niet dat een vreemde met mijn kleindochter praat of ook maar in haar nabijheid komt. Begrijpt u me goed? Het is uw taak te zorgen voor de veiligheid van de kinderen, ook in de pauze. Als ik het ooit nog hoor, dan... Ik waarschuw u.' Ze spuugt de laatste woorden in het gezicht van de totaal verbijsterde juf en keert zich om.

'Ben je boos, oma Sanne?' vraagt Rinke beteuterd.

Sanne zucht diep om tot zichzelf te komen en zegt dan: 'Niet op jou, lieve pop.'

Als ze een broodje voor Rinke smeert, moet ze zich bedwingen om haar niet uit te horen. Niet doen, neemt ze zich voor. Niet over beginnen. Die kleine kan zich er vast niks van herinneren en ik maak haar alleen maar bang. Ik moet mijn waarschuwing zorgvuldig opbouwen. Nu niet in een keer al mijn angst over dat pukkie uitstorten. Niet doen. Het lukt haar. Maar ze merkt dat ze achterdochtig om zich heen spiedt, als ze Rinke 's middags weer naar school brengt. En als ze aan het eind van de dag arriveert om haar kleindochter op te halen en Esther groet, die al op het lage muurtje zit te wachten, merkt ze dat Esther haar groet met een koel, afwijzend knikje beantwoordt. Ze ziet nu andere moeders zich naar elkaar toebuigen en fluisteren. Bij de schooldeur staan twee juffen te praten; de ene pakt de arm van de andere en knikt kort in Sannes richting.

Ze wijst me aan, beseft Sanne. Ze hebben het over me. Och hemel. Nu sta ik te boek als de hysterische oma van Rinke Molenaar. Een moedeloos gevoel overvalt haar. Nou ja, dan maar hysterisch. Als Henk Takken maar nooit meer in de buurt van Rinke komt. Als het hem was. Wat niet zeker is, natuurlijk. Nee. Maar als... Zou ik hysterisch zijn? Of worden?

'Je zit veel te veel te piekeren,' zegt Rob. Hij heeft zijn krant dichtgevouwen en tikt er ongeduldig mee op zijn knie. 'Waarom zou Henk Takken nou bij de kleuterschool van Rinke staan te wachten en een praatje met haar maken?!'

'Dus doe ik hysterisch,' concludeert Sanne.

'Nee, dat bedoel ik niet. Ik wil alleen maar zeggen dat je realistisch moet blijven. Zeg nou zelf, wat heeft die man daaraan?'

'Nee. Niks,' geeft Sanne toe.

'Nou dan,' zegt Rob. Hij vouwt zijn krant weer open.

'Je moet er een keertje uit,' oppert Yvonne, als Sanne haar opbelt.

'Ik heb helemaal nergens zin in,' verzucht Sanne somber.

'Weet je wat, ik ga iets bedenken. Maar dan mag je niet weigeren, hoor! Ik overleg wel met Daan en Abel. Leuk! Goed?'

'Goed. Doe maar,' geeft Sanne toe.

Als Daan een paar dagen later op een avond opbelt, neemt Rob de telefoon op. Sanne zit met de nieuwe Harry Potter in een stoel onder de leeslamp en kijkt nieuwsgierig op, als Rob zegt:

'Nee, jongen! Daar voel ik helemaal niks voor! Maar ik zal haar even geven. Dag! Groeten aan Abel, hè?'

Hij geeft de telefoon aan Sanne.

'Hoi, Daan,' zegt ze meteen.

'Dag, lieverd. Hoe is het nou met je? Ik hoor van Yvonne dat je nodig opgekikkerd moet worden. Abel en ik maken ons een beetje zorgen, schat.'

'Maar we hebben iets leuks!' hoort ze Abel op de achtergrond brullen.

'Wat lief dat je belt,' zegt Sanne. Ze voelt zich meteen vrolijker worden als ze Daans stem hoort.

'Oké. Hou je vast,' zegt Daan. 'We gaan volgende week woensdag naar de meezingbioscoop.'

'O?' Sanne kijkt naar Rob. Die lacht en knikt.

'De meezingbioscoop? Waar is die dan?' vraagt ze.

'In de stad. In theater Overmere. Ze doen *The Sound of Music*. Nou? Is dat niet leuk?' Op de achtergrond begint Abel 'Edelweiss' te brullen.

'Hoor je hem? Hij is al in de stemming. Lekker toch? Zingen?'
'Het lijkt me hartstikke leuk,' zegt Sanne eerlijk.
'Mooi. We komen je halen en brengen je weer thuis. En we gaan eerst een hapje eten, want met een lege maag kun je niet zingen,' deelt Daan mee. Abel brengt nu een heel valse versie van 'My favourite things'.
'Geinig. Is dat met ondertitels?' informeert Sanne nog, maar Daan heeft blijkbaar haast, want hij zegt: 'Zoiets. Ik ga je hangen. We bellen! Dag, schat!'
'We gaan naar de meezingbioscoop,' vertelt Sanne.
'Ja, Daan zei het al,' knikt Rob. 'Ik mocht ook mee.'
'Wou je niet? Leuk toch?' vraagt Sanne.
'Kind, het lijkt me meer iets voor jou en de jongens. Volgens mij is die film dé hit in de homoscene en als ik me daar die meezinghappening bij voorstel, krijg ik een duidelijk plaatje van het publiek. Daar pas ik als middelbare hetero niet tussen,' grijnst Rob.
'Doe niet zo flauw. Wat heeft dat er nou mee te maken. Het is gewoon een film waarbij je kunt meezingen,' vindt Sanne.
'Ik spreek je na afloop wel,' lacht Rob.
Meteen gaat de telefoon weer. Yvonne belt op en jubelt meteen tegen Sanne: 'Leuk hè? Ga jij verkleed?'
'Verkleed? Waarheen?' vraagt Sanne stomverbaasd.
'Naar *The Sound of Music*! Het schijnt dat een heleboel mensen verkleed komen en nu wil ik eigenlijk wel als non!' Yvonne snikt bij voorbaat al van het lachen.
'Gaat Nelleke ook mee?' vraagt Sanne, die opeens bedenkt dat Yvonnes vriendin misschien ook wel meegaat, waardoor ze straks misschien ingeklemd zit tussen twee nonnen.
'Nee, die had er helemaal geen zin in,' vertelt Yvonne.
'Rob ook niet.'
'Kan ik me best voorstellen. Maar ga jij verkleed?'
'Welnee. Dat lijkt me een beetje overdreven, toch?' vraagt Sanne.
'Dan overleg ik nog wel met de jongens,' besluit Yvonne ontnuchterd. 'Misschien gaan die wel verkleed.'

'Zou het?' vraagt Sanne nog, maar dan gooit Yvonne er een heel ander onderwerp in en hebben ze het verder niet meer over de meezingbioscoop.

'Leuk dat jullie samen op pad gaan. Je ziet er een stuk opgewekter uit,' prijst Rob, als ze eenmaal opgehangen heeft.

'Ja, ik heb er ook best zin in. Jammer dat jij niet meegaat. Nelleke had er ook geen zin in, dus we zijn met z'n vieren.'

'Joh, je hebt niks aan mij bij zo'n soort happening,' bromt Rob. 'Trouwens, hoor je mij wel eens zingen? Ik zing niet eens onder de douche!'

Twee dagen later belt Abel op.

'We hebben nog een extra kaartje gekregen. Want we hebben ze gratis via mijn werk. Denk je dat juffrouw Schaap zin heeft?'

'Wat leuk! Ik ga het haar meteen vragen,' besluit Sanne. Diezelfde middag zit ze bij juffrouw Schaap aan tafel uit te leggen waar ze naar toe gaan.

'Meezingen? Ik zing als een kraai,' werpt Schaapje tegen.

'Maar dat geeft toch niks? U kent die liedjes toch wel? U kunt ook een beetje meebrommen,' prijst Sanne aan.

'Nu goed dan,' geeft Schaap toe. 'Maar alleen omdat ik het heerlijk vind dat ik jou weer zo enthousiast zie.'

'Gezellig! Ik vertel nog wel hoe laat we weggaan. We gaan eerst eten en daarna zingen. Leuk toch? Yvonne belde al op om te vragen of ik verkleed ging! Het schijnt dat sommigen dat doen. Maar dat lijkt me een beetje te, vindt u niet?' vraagt Sanne.

'Verkleed? Ik? Ik ben net bezig met een nieuwe jurk. Die trek ik aan,' zegt Schaap. Ze wijst op een paar lappen lichtgroene stof die voorzien van rijgdraden over de stoel hangen.

'Apart motief,' zegt Sanne aarzelend.

'Het was een coupon gordijnstof. Twee euro,' zegt Schaapje trots.

'Wat ziet u er fantastisch uit,' prijst Rob, als juffrouw Schaap haar jas uittrekt en haar nieuwe jurk van gordijnstof onthult. 'Twee euro,' knikt Schaapje tevreden. 'En helemaal origineel.' Sanne werpt een waarschuwende blik op Rob. Denk erom dat je mijn Schaapje niet uitlacht om haar malle hobby. Maar Rob kijkt bloedserieus als hij aan zijn eerdere loftuitingen toevoegt: 'Ik vind dat u passend gekleed bent voor een avond als deze.' 'O ja?' Schaap kijkt hem vragend aan. Er komt geen verklaring. Rob zegt alleen maar: 'Zeker.' Dan staan Daan, Abel en Yvonne voor de deur en die vallen met zoveel lawaai en geroep het huis binnen dat Schaapje niet meer aan verder vragen toekomt. Ze trekt wel even haar wenkbrauwen verbaasd op, als Daan gilt: 'Kijk dan! Juffrouw Schaap is wel verkleed!' Maar ook die opmerking gaat verloren in de rest van de begroeting.

Ze eten in een eetcafé vlak bij het theater en daarna gaan ze lopend naar de meezingfilm. Meteen als ze hun jas afgeven bij de garderobe, kijkt Sanne haar ogen al uit. Overal lopen mensen verkleed! Er zijn nonnen, mannen in lederhosen, een partij dames in Edelweisskostuum en een aantal is uitgedost als de kindertjes Von Trapp, in pakjes en jurken van groene gordijnstof.

'Waar hebt u die stof vandaan!' roept iemand in een gordijnstofpakje tegen juffrouw Schaap. Die kijkt verbaasd en noemt de naam van de woninginrichter waar ze haar couponnetje op de kop heeft getikt.

'Mens, dat is de echte stof!' hijgt de man vol bewondering. Juffrouw Schaap kijkt alsof de hele wereld gek is geworden.

'Wist jij dit?' fluistert ze tegen Sanne.

'Nee. Totaal niet,' schudt Sanne. Ze krijgen een plastic tasje in hun handen gedrukt en zoeken hun stoelen op. Onderwijl sust Abel: 'Laat het nu maar lekker over je heen komen. Lach er maar om. Het is heel waanzinnig. Hier. Doe die maar voor.' Hij geeft Schaap en Sanne een masker met twee elastiekjes eraan die je om je oren kunt doen. Sanne staart sprakeloos in het gezicht van Maria, met op de plaats van haar ogen twee gaatjes.

'Heb ik uitgeprint van internet,' geniet Abel. Hij doet ter illustratie de zijne voor: het gezicht van baron Von Trapp.

'Allemachtig,' zegt Schaap ontzet. Dan verschijnt er een jongeman op het toneel met allerlei instructies.

'Als u Maria ziet, dan roept u...'

'Aaaaaah!' brult de zaal.

'Iedereen weet het al. Behalve wij,' merkt Schaapje verbaasd op tegen Sanne. Er volgt nog veel meer en de man neemt de tijd, want er zit heel wat meer aan vast dan een beetje meezingen. Telkens als je bergen ziet, moet je met een zucht je handen in de lucht gooien en roepen: 'Bergen!' Het stukje gordijnstof in het zakje is om mee te wapperen tijdens de scène waar Maria zit te bedenken hoe ze de kinderen kan laten spelen zonder hun kleren vies te maken. Dan moet iedereen roepen: 'Achter je, Maria!' Er zijn nog veel meer aanwijzingen, maar Sanne registreert het nauwelijks. Ze zit met open mond te luisteren.

'Wat een onzin,' bromt Schaap, als de man vertelt dat je met de meegebrachte zaklantaarn in de ogen van de nazi's moet schijnen om ze te verblinden.

'Dan kunnen ze de familie niet vinden,' vertelt hij.

'Het is een film. Weet die man dat niet?' vraagt Schaap droog. Dat is de eerste keer dat Sanne in de lach schiet. Dan barst het circus los. De film, op een prachtige, ouderwetse projector, wordt gestart en de zaal kolkt en beweegt. Alle handen gaan in de lucht en iedereen brult: 'Aaaaaah!'

'Een paar keer is nog wel lollig, maar mijn hemel, ze gaan er maar mee door,' moppert Schaap, als de zaal iedere keer 'Amen' gilt nadat een non iets heeft gezegd.

Sanne ziet Yvonne gieren van de lach en Daan en Abel staan meer overeind dan dat ze op hun stoel zitten.

'Ik vind meezingen leuk, maar de mensen brullen zo,' verzucht Schaap bij het lied 'My favourite things'. Sanne kijkt eens naar de man naast haar, die zoveel hitte afgeeft dat het lijkt alsof ze naast een straalkachel zit. Hij gilt met de muziek mee: 'Whiskers on kittens!' Ik ruik hem, denkt Sanne. Een oude zweetlucht walmt haar tegemoet. Als de man een bosje edelweiss uit de plastic zak pakt en ermee gaat zwaaien, wordt ze misselijk van de lucht. Ze grabbelt in haar tas naar een zakdoek en houdt die voor haar neus. Eindelijk is het pauze.

'Tijd voor de kostuumparade! Ik heb al een dame gezien met de perfecte gordijnstof! Komt u maar op het podium!' roept de man, terwijl hij op Schaapje wijst.

'Enig, hè?' geniet Yvonne, als ze even opschuift en naar Schaapje knikt die tussen een rij verklede mensen zichtbaar ongelukkig staat te zijn.

'Die man naast me mag ook wel op het podium,' verzucht Sanne.

'Wat dan?' vraagt Yvonne. Ze kijkt om Sanne heen en trekt een vies gezicht.

'Als Zwitserse kaas,' zegt Sanne. Yvonne krijgt zo'n aanval van de slappe lach, dat de tranen over haar wangen biggelen. Daan en Abel willen meteen weten wat er aan de hand is en als Abel het verhaal hoort, zegt hij: 'Wacht maar.' Hij loopt weg en komt terug met een blad bier.

'Abel heeft een biertje gehaald!' wijst Daan. Op dat moment kiept Abel doelbewust het hele blad over de man naast Sanne heen. Meteen zegt hij: 'Sorry, sorry! O, wat doe ik nou!' De man op het podium roept: 'En de eerste prijs gaat naar mevrouw Schaap met de juiste gordijnstof! Gefeliciteerd!'

Als Sanne hoort dat juffrouw Schaap heeft gewonnen, schiet ze in de lach. Maar meteen zegt ze tegen de man naast haar, die druipt van het bier: 'Ik lach niet om u, hoor. Ik vind het heel erg van uw kleren. Het is ook zo'n idiote avond!' Ze hikt nu van het lachen. Juffrouw Schaap komt totaal verbouwereerd terug met in haar handen de meezing-dvd van *The Sound of Music*.

'Nu kunnen we dit ook organiseren op de camping,' zegt ze ernstig tegen Sanne. Die giert alweer. De man naast haar is verdwenen en de stoel is leeg.

'Komt hij nog terug?' vraagt ze voor de zekerheid aan de mensen ernaast.

'Nee, Cees is naar huis om droge kleren aan te trekken. Het is niet erg, hoor. Hij had een vrijkaartje, net als wij. Dat krijg je als je tien keer bent geweest,' legt een vrouw uit.

'Juist,' knikt Sanne. Ze zit even voor zich uit te kijken om deze nieuwe informatie te verwerken en speelt het dan aan Schaap door.

Die kijkt haar ontsteld aan. 'Tien keer? Dat is pure wreedheid!'

Toch is de tweede helft beter te verwerken. Daan heeft nieuwe drankjes gehaald en ook Sanne en Schaapje storten zich nu in het meezingfestijn. Af en toe krijgen ze een lachstuip en ze deinen en doen mee.

'Sjonge, wat een flauwekul,' verzucht Schaap regelmatig. Maar ze zwaaien braaf met hun edelweiss bij het slotlied.

Op straat neuriën sommige mensen nog na.

'Zullen we een afzakker pakken?' stelt Daan voor.

'Bij mij thuis,' oppert Sanne. De hele voorstelling heeft vier uur geduurd en ze is bekaf.

'Goed plan, want ik ben hartstikke moe. Dan kunnen jullie mij meteen droppen,' stelt Schaapje voor.

'Regelen we,' zegt Daan.

Dus doen ze die avond nog uitgebreid verslag aan Rob. Die schudt af en toe zijn hoofd.

'Ik ben blij dat ik er niet bij was. Allemachtig,' verzucht die. Maar hij moet ook vreselijk lachen als hij hoort dat juffrouw Schaap de verkleedwedstrijd heeft gewonnen, zonder dat ze daar haar best voor heeft gedaan. En bij het verhaal van het blad bier over het hoofd van Sannes buurman, houdt hij zijn buik vast.

'En? Was dat niet net wat je even nodig had?' vraagt hij 's avonds, als ze in bed liggen.

'Ik lig nog na te genieten,' beaamt Sanne.

Op een avond staat ze de vaatwasser in te ruimen, als Paul de Geus op het raam klopt en naar haar wuift.

'Kom binnen! De deur is open,' roept ze.

'Hé, Sanne!' zegt Paul, terwijl hij haar drie zoenen geeft. 'Rob niet thuis?'

'Die belde een uur geleden op. Hij moest nog een verhaal afmaken. Het wordt een uur of negen,' vertelt ze.

'Dat wordt wel laat. Jammer. Ik wilde hem zo graag vragen of hij nog gesproken heeft met zijn vader. Wat een gedoe, hè?'

Sanne houdt even haar adem in. Rob? Gesproken met zijn vader? Daar heeft Rob niets van verteld! Ze moet moeite doen om haar gezicht in de plooi te houden, maar het lukt haar.

'Nou, inderdaad,' zegt ze neutraal. 'Wil je koffie?'

'Lekker!' Paul wrijft genoeglijk in zijn handen.

'Weet jij of hij nog heeft afgesproken?' vraagt hij aan Sanne. Die staat nu bij het koffiezetapparaat met haar rug naar Paul toe. Haar hoofd draait op volle toeren. Oké, Rob heeft dus met zijn vader gesproken. Minstens één keer, misschien vaker. Paul is daar nieuwsgierig naar, wellicht vanuit zijn functie als rechercheur, anders als vriend. Dus Henk Takken is inderdaad niet dood en heeft werkelijk contact gezocht. Misschien heeft hij ook wel bij de school van Rinke staan wachten. Ik ben dus niet gek. Maar dat Paul er zomaar over begint, betekent dat hij denkt dat ik er van weet. Hij neemt aan dat Rob mij alles heeft verteld, dus Takken zal geen bedreiging zijn voor mij. Maar waarom heeft Rob niets gezegd? Omdat hij me niet bang wil maken. Want ik reageer al zo heftig op alles wat ook maar een beetje met de ontvoering te maken heeft. Rob wil me gewoon beschermen. Dat is het. Ze wrijft even vermoeid over haar voorhoofd.

'Ik weet niet precies wat hij jou verteld heeft. Weet je van die eerste keer?' vraagt ze luchtig.

'Ja, daar heeft Rob me alles van verteld. Daarna ben ik op zoek gegaan en ik heb Rob weer op de hoogte gebracht. Dat Takken een nieuwe identiteit heeft gekregen en dat ze op die manier in één klap een schat aan informatie kregen en de ontvoering konden oplossen. Enfin, dat weet je allemaal wel. Maar dat Takken contact met Rob zou opnemen, was natuurlijk helemaal niet de bedoeling. Ik ben benieuwd of Rob hem weer gesproken heeft. Die oude baas heeft wel lef,' zegt Paul.

'Vind je?' vraagt Sanne. Ze schenkt twee koppen koffie in en loopt ermee naar de tafel.

'Ja! Ik snap niet dat hij ineens een familieleven wil hebben. Dat heeft hij voorheen ook nooit gehad. Ik heb Rob gewaarschuwd. Dat mag je best weten.' Paul kijkt haar ernstig aan.

'Er zijn nog steeds groepen die er absoluut geen lucht van mogen krijgen dat hij nog leeft. Hij kan maar beter helemaal uit jullie leven verdwijnen. Dat vind ik.'

Sanne knikt. Ze kijkt strak in haar kop koffie om haar emotie te verbergen.

'Ik vind dat Rob alle contact moet verbreken,' zegt Paul nog eens nadrukkelijk.

'Dat vind ik ook,' mompelt Sanne. Ze probeert haar tranen tegen te houden.

Op dat moment stapt Rob binnen. 'Hé, Paul!' groet hij.

'Hé, jongen! Ik was even nieuwsgierig!' zwaait Paul terug. Sanne ziet dat Rob even zijn adem inhoudt. Dan kijkt hij haar aan. Aan zijn ogen kan ze zien dat hij in één klap beseft dat ze op de hoogte is.

'Dag, lieverd,' zegt ze schor.

Hij slaat zijn armen om haar heen en fluistert: 'Het spijt me zo. Ik kón het je niet vertellen. Je bent nog zo in de war van de ontvoering. O god, wat spijt me dit.'

Paul houdt hoorbaar zijn adem in. 'Dus je wist het niet?' vraagt hij geschokt aan Sanne. 'Allemachtig! Had ik dat geweten! Dan had ik m'n grote mond wel gehouden. Jemig!' Hij kijkt ze aan en maakt met z'n handen een hulpeloos gebaar.

'Misschien moet ik je wel dankbaar zijn,' zegt Rob. Hij houdt Sannes schouders vast en vraagt: 'Praat tegen me, lieverd. Alsjeblieft. Zeg iets.' Sanne maakt een afwerend gebaar en loopt naar de keuken. Daar haalt ze een paar keer diep adem. Ze hoort hoe

167

Rob z'n jas uittrekt en bij Paul gaat zitten. Hij zegt nog een keer: 'Daar kun jij toch niks aan doen, kerel. Het is allemaal mijn schuld. Ik had hem meteen moeten afwimpelen. Want dat moet ik inderdaad doen. Je hebt helemaal gelijk.'

Ze schenkt een kop koffie in voor Rob en loopt de kamer in. Als ze eenmaal zit en haar eigen kop heeft gepakt, doorbreekt ze de stilte met: 'Ik hoorde je net zeggen dat je het contact wilt verbreken. Definitief. Dat lijkt me een goed plan. Dat die man nu vrij rondloopt, daar mag hij zijn handen bij dichtknijpen. Als ik de kranten goed lees, is een groot deel van de arrestaties op het gebied van handel in verboden wapens en chemische rommel te danken aan zijn informatie, dus hij zat er tot over zijn oren in.'

Zij kijkt vragend naar Paul, die knikt.

'Absoluut. Ik denk dat je helemaal gelijk hebt,' zegt hij. 'Dus meneer Takken mag blij zijn met deze kans,' vervolgt ze. Dan zegt ze tegen Rob: 'Ik snap best dat het moeilijk voor jou is. Je dacht een vader te vinden en je vindt een monster. Want al doet hij zich nu aardig voor, hij blijft indirect verantwoordelijk voor honderden, misschien wel duizenden doden door de rommel die hij leverde. Ik wil die man niet in onze omgeving en al helemaal niet in de nabijheid van Rinke. Als meneer Takken ineens warme gevoelens krijgt voor het familieleven, dan begint hij maar iets voor zichzelf. Ergens een heel eind weg. Zo. Ik heb gezegd.'

Paul en Rob schieten allebei in de lach.

'Je hebt gelijk,' knikt Rob. 'Je hebt helemaal gelijk. Ik moet hier niet mee doorgaan. Ik zal een afspraak met hem maken en het hem vertellen.'

'Als je wilt, ga ik wel met je mee. Misschien is het dan makkelijker,' biedt Sanne aan.

Hij glimlacht en knikt. 'Ach, als ik een vader die ik nooit heb gekend mag inruilen voor iemand als jij, dan is dat geen slechte ruil,' zegt hij. Er staan ineens tranen in zijn ogen. Sanne voelt even een steek in haar hart, als ze beseft hoe die grote, flinke, volwassen man zijn hele leven heeft verlangd naar een echte vader. En nu hij hem heeft gevonden, moest hij er eerst vrede mee vinden dat zijn vader in de gevangenis zat, daarna moest hij zijn dood accepteren en nu hij weet dat hij nog leeft, moet hij hem vertellen dat hij hem nooit meer wil zien. Wat wreed. Even aarzelt ze zelfs. Maar dan schudt ze onzichtbaar haar hoofd. Nee, dit kan niet. Ze lopen gevaar als ze hem blijven zien. Hun hele familie loopt gevaar. Takken moet een eigen leven opbouwen en nooit meer contact zoeken.

'Hoe maak je eigenlijk een afspraak met hem?' vraagt Paul nieuwsgierig.

'Ik zet een advertentie in de krant. Zo'n kleintje, in de rubriek "Te Koop". Daar zet ik in: Jonge bouvier te koop. Acht maanden, niet opgevoed. Brieven onder nummer. In de brief zet Takken dan een adres en een tijd. Dan ontmoeten we elkaar. Er schrijft nooit iemand anders. Wie wil er nou een onopgevoede bouvier? Als hij contact wil, biedt hij op dezelfde manier drie dozen oude boeken te koop aan. Verder is het systeem hetzelfde. Tot nu toe hebben we elkaar drie keer gezien,' vertelt Rob.

'Dus Takken is zelf ook bang voor een aanslag of iets dergelijks,' concludeert Sanne.

Rob knikt. 'Ja, hij is bang. Maar hij wil me zo graag beter leren kennen, zegt hij. Hij voelt zich vreselijk schuldig over alles wat er gebeurd is. Hij zegt dat hij deze tweede kans graag wil grijpen om nog iets goeds van zijn leven te maken. Ach, als ik dat nu hardop zeg, dan klinkt het goedkoop. Maar hij meent het echt. Ik heb ook wel medelijden met hem. De man is altijd alleen geweest. Maar hij is boeiend als gesprekspartner, intelligent en belezen.' Rob zucht eens diep. 'Jammer dat het allemaal niet anders is gelopen,' zegt hij triest.

'Je moet hem echt zo snel mogelijk vaarwel zeggen,' vindt Paul.

'Met zijn dood had ik vrede. Maar ja, nu ik weet dat hij nog leeft, is het toch een bittere pil. Ik ga volgende week een advertentie zetten.' Hij glimlacht geruststellend naar Sanne.

'Zullen we dan eerst nog een weekend naar België? Er wordt sneeuw voorspeld, weet je dat?'

Sanne lacht en zegt tegen Paul: 'Hij kijkt iedere ochtend op de

Belgische Teletekst naar pagina 307. Mag jij raden wat daar staat.'

'Ga je naar België?' vraagt Cathy bezorgd tijdens haar weke-lijkse telefoontje. 'Je bent mal! Ben je niet bang? Ik kan me niet voorstellen dat je daar nu onbekommerd door het bos huppelt, terwijl je de vorige keer, nou ja, je weet wel waar ik het over heb.' Sanne zucht. Natuurlijk huppelt ze niet onbekommerd door het bos, maar geen haar op haar hoofd die eraan denkt om dat aan Cathy op te biechten. Ze zag als een berg tegen haar tele-foontje op en had al haar hoofd geschud tegen Rob, die de tele-foon opnam, maar die siste met zijn hand over de hoorn: 'Ze heeft van de week al twee keer gebeld. Neem haar nu maar even, dan ben je er van af.'
'We verheugen ons er eigenlijk op. Er ligt sneeuw,' antwoordt Sanne.
'O, dat is fantastisch! Echt waar?' jubelt Cathy meteen enthou-siast. 'Dan kun je meteen goed zien of er voetsporen lopen, toch? Dan voel je je vast een stuk veiliger!' Sanne schiet in de lach. Dat had ze niet zo gauw bedacht. Bovendien hadden de mannen die haar ontvoerden haar van achteren beslopen, dus die voetstappen helpen niet altijd. Maar dat Cathy zich gerustge-steld voelt, verandert de toon van het telefoontje en dat is ook wat waard.
'Hoe gaat het eigenlijk met je kleinzoon?' vraagt Sanne gauw. Cathy brandt los om voorlopig niet meer te stoppen.
'Heerlijk, hè? Oma zijn,' zegt Sanne tegen haar zus.
'Terwijl ik die verhalen vroeger zo ontzettend suf vond,' lacht Cathy terug.
Als ze ophangt, blaast ze vermoeid voor zich uit.
'Dat viel toch allemaal wel mee?' vraagt Rob.

'Ja, aan het eind ging het wel. Heb jij alles voor Hazel gepakt?'
Hij knikt. Ze staan op het punt te vertrekken. Twee tassen en de
spullen van Hazel staan bij de deur.
'Kom op. Dan hebben we geen files, hoop ik,' maant Rob. Ze la-
den de tassen in, Hazel springt op haar kussen en Sanne zet de
zak met broodjes en flesjes drinken bij haar voeten.

'Dat rijdt lekker door,' prijst Rob, als ze in pittig tempo naar het
zuiden rijden. Bij De Knuvelkes stoppen ze, omdat Sanne naar
de wc wil, Rob Hazel laat plassen naast de parkeerplaats en
Sanne gelijk even naar binnen loopt om een paar bladen te ko-
pen om lekker in weg te duiken tijdens het weekend.
'U gaat de sneeuwbuien in,' waarschuwt de man achter de kassa.
'Sneeuwt het zo hard in België?' vraagt Sanne.
'Met wind. Hele sneeuwstormen zijn het. Er was een waarschu-
wing op de Waalse zender,' zegt de man.
'Jee,' schrikt Sanne. 'Daar luisteren wij Hollanders natuurlijk
niet naar.'
'U weet het nu,' knikt de man.
'Het zal wel loslopen,' zegt Sanne. 'We hebben winterbanden.
En als het helemaal bar wordt, dan hebben we ook nog sneeuw-
kettingen.'
'Flink doorrijden maar,' raadt de man aan. Sanne rekent af en
groet bij het weggaan.
'Succes!' roept de man haar nog na. Zou het zo erg zijn? vraagt
ze zich af. Die man reageert alsof we ik weet niet wat voor avontuur tegemoet gaan. En als je zo om je heen kijkt, zou je niet
zeggen dat er iets aan de hand is. Toch?
Als ze instapt, zegt ze tegen Rob: 'Die man waarschuwde ons.
Er is zwaar weer in de Ardennen. Sneeuwstormen.'
Rob houdt zijn vinger voor zijn mond en zegt: 'Sssst! Ik zit er
net naar te luisteren!' Ze zwijgen en proberen de nieuwslezer op
de radio te verstaan. Het is lastig om precies te begrijpen wat de
man zegt, maar de strekking is duidelijk: als het even kan, lekker
binnenblijven en niet de weg opgaan. Rob kijkt haar aan.

'We zijn er bijna,' zegt Sanne.

'Dat vind ik nou ook,' lacht Rob. Hij klikt zijn veiligheidsriem vast en kijkt opzij.

'Klaar voor het avontuur?'

'Helemaal.' Sanne legt haar hand op zijn bovenbeen en geniet inwendig van dit moment. Leuk! Er gebeurt iets spannends en ze hebben het volledig in de hand. Dat voelt prima! Een paar kilometer verderop zien ze een onheilspellend donkere lucht.

'Daar hangt de bui,' wijst Rob.

'Laat maar komen,' lacht Sanne.

Als ze de grens overrijden, is er nog niets aan de hand. Ze rijden langs de Maas door Luik en nog steeds is er geen vlokje te zien. Maar als ze Luik uitrijden, begint het. Van het ene moment op het andere zitten ze in een dikke laag sneeuw, waardoor het onmogelijk is te zien hoe de rijstroken lopen op de brede snelweg.

'Wat een omschakeling,' zegt Sanne verbaasd. Ze kruipen over de weg, met alle andere auto's. Er is geen vluchtstrook meer en de buitenste rijstrook is zo vol gesneeuwd, dat geen auto zich daarop waagt.

'Ik rijd nog prima. Ik heb niet het idee dat ik geen grip heb,' merkt Rob opgelucht op. 'Lang leve de winterbanden.'

'Niet iedereen kan verder,' wijst Sanne. Op de vluchtstrook staat een klein Fiatje met een jongen ernaast in zijn overhemd.

'Die heeft niet eens een jas aan!' zegt ze verbaasd. En als ze nog beter kijkt: 'Hij staat op zijn slippers!' Ze zit nu omgekeerd in de auto omdat ze zich het lot van die gestrande jongen wel erg aantrekt.

'Er stopt al iemand. Gelukkig,' verzucht ze.

'Wat een eikel om nu zo de weg op te gaan,' moppert Rob. Ze rijden heel behoedzaam verder over de licht dalende snelweg, totdat Sanne opeens aan de rechterkant van de weg koplampen ziet. Een hele rij koplampen kruipt langzaam omhoog.

'Rob,' wijst ze verbaasd, 'die auto's komen terug! Over de vluchtstrook!'

De sneeuw slaat tegen de ruiten en de wissers werken op volle kracht. Met open mond kijkt Sanne toe hoe een lange rij auto's is omgekeerd en terugrijdt op dezelfde weghelft als waarop zij rijden. Als ze elkaar passeren, ziet ze dat de derde auto in zijn achteruit meerijdt, waarschijnlijk verrast door de omgekeerde voertuigen.

'Misschien houdt de politie beneden iedereen wel tegen,' vermoedt Rob. De weg maakt een flauwe bocht en dan zien ze geschaarde vrachtwagens en bussen die de weg lijken te versperren. Daar tussendoor zoeken personenwagens, die nog wel verder kunnen rijden, voorzichtig een doorgang. Wie niet vooruit kan, keert op dat punt terug in de lange rij op de vluchtstrook. Twee vrachtwagens staan naast elkaar op de eerste en tweede rijbaan. Blijkbaar wachten ze op de sneeuwschuiver, die op dat moment hun auto passeert.

'Daar ga ik achteraan!' besluit Rob. Hij volgt de schuiver nog maar een meter of tien, als het gevaarte plotseling overdwars slipt en tot stilstand komt op de derde rijbaan.

'Snotver,' vloekt Rob, terwijl hij een slingerbeweging maakt om eerst de schuiver en daarna een stilstaand busje met een aanhangwagentje te ontwijken.

'Die staan hun sneeuwkettingen om te doen,' ziet Sanne.

'Dat ga ik ook doen. Dit is geen rijden,' beslist Rob. Hij draait de auto terug, totdat ze tussen de twee stilstaande vrachtwagens en het busje in staan.

'Ziezo. Mooi beschut,' prijst Sanne. Rob zegt niets. Hij is heel gespannen en klemt zijn kaken op elkaar.

'Raar, om overdwars op een snelweg te rijden,' zegt Sanne nog verbaasd. Maar Rob is de auto al uit. Als Sanne ook voorzichtig is uitgestapt, beseft ze pas hoe griezelig ze daar staan, ook al vormen de twee vrachtwagens een behoorlijke buffer. Maar toch, vanachter die vrachtauto's komen auto's, die zich een weg moeten zoeken tussen de her en der geparkeerde en gestrande voertuigen en soms rakelings langs hun achterbak slippen.

Rob zit inmiddels al op zijn knieën naast de linkervoorband met de sneeuwketting. Hij geeft het montageboekje aan Sanne en zegt: 'Als jij nou voorleest?' Sanne gaat naast hem staan om duidelijk zichtbaar te zijn voor alle auto's. Terwijl Sanne leest en de plaatjes aan Rob laat zien, houdt ze het verkeer goed in de gaten, vastbesloten om Rob in geval van nood met één vlugge beweging weg te trekken.

'Trek de spanband aan,' leest ze. Ze houdt het boekje voor Rob. 'In die richting.' Ze wijst. Hij sjort aan de ketting en vloekt. Ze ziet zijn handen rood van de kou en beseft dat het niet zomaar een klusje is.

'Volgens mij moet die ketting daar eerst los. Kijk maar,' wijst ze. 'Moest dat nippeltje naar buiten of naar binnen?' Sanne bladert. 'Laten we hem even losmaken en gewoon stap voor stap opnieuw doen,' raadt ze aan. Rob ploetert en trekt. Maar dan zit ie. 'Als een huis,' zegt Rob tevreden. Hij staat op en loopt om de auto heen, alsof ze gewoon op een parkeerplaats staan. Sanne blijft maar verbaasd om zich heen kijken. Waanzinnig, al die auto's die maar doorslingeren en dan die mensen die terugkomen! Ze krijgt oogcontact met een man in een auto die terugkruipt over de vluchtstrook. De man lacht naar haar en maakt met zijn vinger een gebaar van een rondje. 'Draai maar om en ga maar terug!'

'Ze zeggen op de vluchtstrook dat we beter terug kunnen gaan,' roept ze naar Rob. De wind en de sneeuw gieren om hun oren. 'Grappenmakers,' blaast Rob.

De man van de aanhangwagen voor hen, komt radeloos omhoog. Hij praat wat met de andere man bij de auto en komt dan naar Sanne toe. Die leest net aan Rob voor: 'Bevestig ketting B aan nippeltje A, zie plaatje C.'

'Mevrouw, mogen we uw beschrijving even zien?' vraagt de man. 'We komen er niet uit hoe die ketting moet liggen. We den-

ken dat we hem verkeerd om hebben.' Sanne bladert in het boekje naar het beginpunt en toont het plaatje aan de twee mannen.
'Zie je wel. Verkeerd om. Dank u wel, mevrouw.' De mannen
ploeteren door de sneeuwjacht terug naar hun auto en Rob gilt
van beneden bij de band: 'Je hebt die beschrijving niet wegge-
geven, hè? Als ik dit weer moet doen, ben ik alles glad vergeten.'
'Natuurlijk niet. Ik heb hem niet eens losgelaten,' sust Sanne.
'Hij zit.' Aan Robs stem is nu duidelijk te horen dat hij niet in
de stemming is voor een grapje. Hij blaast op zijn vingers en
zegt: 'Kom op. Wegwezen hier.'
Sanne stapt in en gaat meteen op haar vingers zitten. Als Rob
meteen de auto start, zegt ze: 'Ga even lekker op je handen zitten. Dan worden ze weer warm.'
'Ik rij meteen door,' zegt Rob grimmig. Sanne ziet aan zijn on-
derkaak hoe gespannen hij is. Zijn knokkels worden wit als hij
het stuur vastgrijpt. Hij begint te rijden, met een lange lus om de
sneeuwschuiver heen en dan weer een lus de andere kant op,
waar een Mercedes stilstaat. De chauffeur stapt uit met een doos
sneeuwkettingen.
'Het is fantastisch. Ik vind het helemaal super,' geniet Sanne.
'Ik hoop dat je het niet erg vindt dat ik het even niet met je eens
ben,' zegt Rob afgemeten.
Sanne slikt een lachkriebel in en beheerst zich. Onderwijl denkt
ze: Ik kan er niks aan doen, maar ik geniet me suf! Alleen ben
ik wel blij dat ik niet hoef te rijden!
'Ik rij meteen langs de supermarkt, voor het geval we insneeuwen. Dan kan ons tenminste niets meer gebeuren,' besluit Rob,
als ze het dorp naderen.

In complete harmonie slaan ze lekkere dingen in bij de supermarkt. Dan rijden ze verder, terwijl de sneeuw maar door blijft

jagen en hier en daar de weg bijna onbegaanbaar maakt. Als ze eindelijk hun huis in zicht krijgen, krijgt Sanne even tranen in haar ogen.

'Wat een plaatje,' zegt ze, bij het zien van het huisje tussen de hoge besneeuwde sparren.

'Het is altijd weer thuiskomen,' geniet Rob hardop, opgelucht dat hij veilig is aangekomen na die spannende rit.

'Ik heb genoten,' zegt Sanne nog maar eens, als ze is uitgestapt. 'Ik heb nog nooit zo'n leuke rit gehad hierheen.'

'Gek mens,' zegt hij vertederd en hij slaat zijn armen om haar heen.

'Ik hoop dat we insneeuwen,' zegt Sanne, terwijl ze tevreden toekijkt hoe Hazel opgetogen rondspringt in de verse sneeuw.

De volgende dag ligt de sneeuw hoog opgestapeld tegen hun huis. Maar het is windstil en de zon probeert tussen de grijze lucht door te breken. Ze maken samen een pad naar het weggetje dat al geveegd is en zwaaien naar het kleine trekkertje dat langsrijdt om de paden te pekelen.

'Jean Paul! *Comment ca va?*' groet Rob. De plaatselijke timmerman, aannemer, doodgraver en vandaag dus padenpekelaar stopt meteen en stapt van het trekkertje af om Rob naar goed Waals gebruik de hand te schudden.

'Als ik een paar handen heb geschud, voel ik me weer helemaal thuis,' geniet Rob later, als ze samen aan de koffie zitten. Dan kijkt hij meteen ernstig. Bedachtzaam zegt hij: 'Ik heb besloten om mijn vader een brief te schrijven. Om alles uit te leggen en hem nog iets mee te geven. Vind je dat een gek idee? Ik bedoel, het is toch een stukje van mijn geschiedenis waar ik nu definitief afscheid van ga nemen. Ik wil dat graag met zorg doen. Dus met woorden. Dat is mijn vak en een beetje ook mijn gekte. Wat vind jij ervan?'

'Dat lijkt me een heel goed idee,' knikt Sanne. Onderwijl betrapt ze zichzelf op de gedachte: Kan me niet schelen hoe je het doet, als je het maar doet. Oef, lelijke gedachte. Ze schudt even kort

haar hoofd en zegt dan: 'Ik denk dat je het zo zorgvuldig mogelijk moet doen. Want als je geen vrede hebt met de manier waarop je het doet, laat het je ook niet los. Neem je tijd en vertel alles
wat je kwijt wilt. Ik weet zeker dat hij dat ook op prijs zal stellen. Toch?'

'Ja. En daarom wil ik je wat vragen. Wil jij met Hazel gaan wandelen, zodat ik in alle stilte aan de slag kan? Want ik wil graag
nu meteen alle ideeën die ik in mijn hoofd heb op papier zetten.
Nou ja, op papier, in de laptop bedoel ik. Vind je dat goed?' Rob
kijkt haar ernstig aan.

Sanne staart terug en denkt: Alleen? Weet je wat je van me
vraagt? Je vraagt me om alleen te gaan wandelen? In dezelfde
omgeving waarin ik de vorige keer werd ontvoerd? En de oor-
zaak van die ontvoering was je vader en je vader spookt nog
steeds rond! Wat moet er in je omgaan? Maar in Robs ogen leest
ze alleen maar aanmoediging. Doe maar. Ga maar. Het komt wel
goed. Heus. Ik wil ook wel, bedenkt ze. Om mijn angst te over-
winnen èn om jou de gelegenheid te geven mij te bevrijden van
mijn andere angst: de angst dat je vader in ons leven komt en
daardoor onze veiligheid bedreigt.

De stilte duurt lang. Dan zegt Sanne: 'Dan ga ik me meteen aankleden. Het is nu prachtig weer.' Haar stem klinkt vast en ze
staat meteen op.

'Fantastisch,' zegt Rob. Hij helpt haar met haar jas, herinnert
haar aan hondenriem, mobiele telefoon, bonthoed, handschoenen, sjaal en geld, totdat ze lachend zegt: 'Jaja! Ik heb alles! Alleen de hond nog.'

'Die staat al klaar,' lacht Rob. Hazel staat al te kwispelen voor
de deur, klaar om de sneeuw in te duiken.

Eenmaal buiten haalt ze diep adem. Heerlijk, die frisse geur van
dennengroen. De sneeuw heeft een deken van stilte over het bos
gelegd en daardoor is het geluid dat Sanne maakt als ze loopt
bijna oorverdovend. Ze loopt eerst het pad af langs de huizen,
om daarna langs het meer te lopen. Bij de hoek komt ze de buurvrouw tegen, met Hertha aan de lijn. De herderpup is inmiddels

uitgegroeid tot een uitbundige puber die Hazel enthousiast begroet.

'Ga je nog een wandeling maken?' vraagt Sanne, na de begroeting. De buurvrouw schudt haar hoofd.

'We vertrekken straks. Dit is alleen een klein rondje om Hertha even te laten plassen.'

'Jammer,' vindt Sanne oprecht. Verderop loopt een vrouw met een tekkel. Maar die slaat een pad in dat naar een huisje leidt en Sanne beseft dat ook zij niet verder zal wandelen. Ik ga door het dorp, besluit ze. Ze keert om en klimt de lange weg omhoog om vervolgens langs de huizen te lopen. De mensen zijn allemaal bezig om de sneeuw van hun erf te verwijderen. Ze groeten vrolijk. Sanne ziet de mevrouw die altijd langs hun huis wandelt als het mooi weer is. Ze draagt dezelfde kleding als altijd: laarzen en een jasschort. Nu, in de winterse kou, met een dikke trui eronder. Sanne steekt haar hand op en de vrouw groet terug. Haar hond stormt naar buiten en keft venijnig tegen Hazel, die goedmoedig terugsnuffelt door het gaas rond de tuin. Zo gaat het goed, bedenkt Sanne. Ik loop van mens naar mens en ben niet bang. Helemaal niet bang. Zachtjes begint het te sneeuwen.

Ze stapt door terwijl de sneeuwvlokken op haar zwarte kunstbonthoedje dalen. Bij het volgende huis, waar boven de deur dat mooie beeldje van Maria in een nisje prijkt, ziet Sanne een oude man in de bijkeuken die een jong katje de fles geeft boven op de keukentafel. Ze houdt haar pas even in, want het is een mooi plaatje: die oude baas die vol aandacht vooroverbuigt en het katje aait, terwijl hij de speen van het flesje steeds weer naar het bekje draait. Ze is een beetje verbaasd dat de man met zoveel liefde dat katje probeert te voeden. De mensen in het dorp gaan goed om met hun beesten, maar, zoals Rob ooit tegen Sanne zei: 'Niet op die overspannen stadsmanier. Het blijft wel een beest natuurlijk.' Een jong katje bijvoeden is niet bepaald gewoon. Wat een lieverd, denkt Sanne vertederd. Als ze links afslaat naar de voetbalterreinen, weet ze verderop het rustpunt; het eenvoudige, verweerde kruis met de grijze Jezus van plastic, zijn arm gebroken en zijn dijbeen gedeukt. Een mooie plek om even stil te staan of te zitten. Er is een klein bankje en in ieder jaargetijde staat er iets te bloeien, hoe klein ook. Sanne vermoedt dat iemand nu wat hulst met bessen heeft neergelegd. Zal ik doorlopen? Maar de sneeuw valt steeds dichter en de weg is niet verlicht. Terug, besluit ze. Langs de huizen. Deze overwinning op haar angst is al groot genoeg. Alleen is ze niet lang genoeg weg om Rob de tijd te geven uitgebreid te schrijven. Ze besluit terug te lopen en in het kleine restaurantje warme chocolademelk te bestellen. Dan bel ik daar Rob wel, bedenkt ze.

Als ze haar schoenen schoonstampt op de mat, wordt ze meteen vanaf de bar toegezwaaid. Daar zitten Bram en Lia met een groep mensen. Het is warm en gezellig en ze wordt meteen opgenomen in het gezelschap dat er die dag een stevige wandeling op heeft zitten en dankbaar is dat ze op tijd terug zijn.

'Het pad was op een gegeven moment helemaal weg, niemand had een idee of we nog goed liepen. We waren blij toen we terug waren bij de parkeerplaats,' vertelt een vrouw. 'En daarna nog met een sukkelgangetje terug, want het werd steeds gladder. Onderweg zagen we nog twee reetjes in een weiland, hè, Henk? Die kunnen nu moeilijk eten vinden met die sneeuw.'

'Morgen zal het wel weer weg zijn,' vermoedt Bram.

'Dat hopen we dan maar. Wat een bende,' moppert Lia. Maar ze krijgt meteen de verontwaardigde kritiek van de anderen over zich heen. 'Het is juist zo prachtig,' vindt Sanne.

'Ja. Als je niet naar je werkt hoeft; bij donker weg en bij donker terug op een spekgladde weg,' merkt Lia nuchter op. Dat is waar. Iedereen zwijgt bij dit argument.

'Misschien is het maandag weer weg,' troost Sanne. 'Dan mag

je nu niet meer mopperen. Goed?' Ze lachen en iemand bestelt nog een rondje.

'Nog chocolademelk?' vraagt hij aan Sanne, die net haar eerste slokje neemt van de volle, dampende beker. Ze schudt lachend haar hoofd en bedankt. Rob bellen, besluit ze. Ze loopt even bij het gezelschap weg en belt. Rob klinkt heel afstandelijk, precies zoals ze van hem gewend is, als hij geconcentreerd bezig is.

'Is goed. Ik zie je,' zegt hij zakelijk.

'Als je klaar bent, kom je dan naar het restaurantje?' vraagt Sanne nog.

'Ik bel je.' Hij drukt het gesprek meteen weg. Als Sanne opkijkt, ziet ze dat Lia oplettend naar haar kijkt.

'Komt Rob?' vraagt ze, als Sanne de mobiel in haar zak stopt en terugkeert naar de kring.

'Hij belt nog,' zegt Sanne. Ze trekt er een gezicht bij, dat Lia moet vertellen dat ze het ook niet weet en dat mannen nu eenmaal van tijd tot tijd iets wonderlijks hebben waar je je schouders maar over moet ophalen. Dat begrijpt Lia meteen. Ze knikt, grijnst en zegt: 'Mannen...'

'Juist,' lacht Sanne. Ze voert Hazel het koekje dat ze bij de chocolademelk kreeg en lacht mee om de grappen en de verhalen van de groep. Een halfuurtje later heeft ze een glas rode wijn in haar hand en een glas op de bar, ook al sputtert ze tegen.

'Je moet nog terug ook en de sneeuw ligt hoog,' waarschuwt Sjaak, een man met een glimmend kaal hoofd. 'Warm eerst vanbinnen maar eens goed op.' Hij schuift het glas op de bar aanmoedigend naar Sanne toe.

'Sanne moet het verste van allemaal,' knikt Bram. Er komen bitterballen op de bar, en kleine loempiaatjes. Sanne bestelt een rondje en de eigenaar heeft zelfs hondenbrokjes en een bak water voor Hazel. Lia zingt *De vlieger*, terwijl iedereen meebrult met het refrein en Sanne roept: 'Ik kan iets waarvan ik durf te wedden dat jij dat niet kunt, Sjaak!'

'Laat zien!' joelt iedereen.

Ze houdt een lucifer tussen haar wijsvingers en Sjaak doet haar na.

'Kan ik ook,' bluft hij. Sanne beschrijft vervolgens ingewikkelde figuren in de lucht en Sjaak volgt haar moeiteloos. Dan steekt Sanne plotseling de lucifer in haar haar en laat hem haar lege handen zien. Hij kijkt haar volkomen verbluft aan en iedereen giert van het lachen. Zijn buurman strijkt hem plagend over zijn glimmende bol en roept: 'Daar heeft onze Kojak niet van terug! Sanne heeft gewonnen!'

Ondertussen stapt Rob binnen, schudt de sneeuw van zich af en kijkt kritisch naar de drukte bij de bar. Als hij bij haar is, geeft hij haar een kus en fluistert in haar oor: 'Populair bezig?'

Sanne schrikt een beetje van die vraag. Populair bezig... Het houdt in haar ogen kritiek in. Sta ik me aan te stellen? Doe ik raar? Ze kijkt Rob onzeker aan. Maar die schudt onverstoorbaar handen met het gezelschap en begroet Lia en Bram.
'Die vrouw van jou is me een nummer,' zegt de man met het kale hoofd waarderend tegen Rob.
'Ja, Sanne is een echte grappenmaker,' knikt Rob met een uitgestreken gezicht.
Zie je wel? denkt Sanne, hij vindt het helemaal niks dat ik hier het middelpunt ben. Hij is jaloers. Of hij vindt het gewoon ordinair. Burgerlijke kroeghumor. Hij denkt dat ik te veel heb gedronken en dat ik me nu sta aan te stellen met een paar mannen. Populair bezig. Onzeker kijkt ze hem aan. Maar als hij klaar is met begroeten, gaat hij naast haar staan, legt zijn hand om haar heup en vraagt: 'Willen jullie nog wat drinken? Biertje? Lia? Portje? Sanne?'
Ze schudt haar hoofd en wijst naar de bar. Daar staat nog steeds een vol glas rode wijn. Het eerste heeft ze in haar hand en ook dat is nog lang niet leeg.

Dan zegt Lia lachend: 'Ze heeft nog geen tijd gehad om te drinken, want we moesten haar eerst ontdooien met warme chocolademelk!'

'Nou, dat kan ik eigenlijk ook wel gebruiken!' grijnst Rob. 'Het is moeilijk om door de sneeuw heen te komen. Nou ja, dit is wel de beste plaats om in te sneeuwen. Er is hier eten en drinken genoeg!' Iedereen lacht en Sanne constateert opgelucht dat hij gewoon grapjes maakt. Is hij niet boos op haar? Ze kijkt hem aan en hij geeft haar meteen een kus op haar mond.

'Ik heb zo lekker zitten schrijven,' zegt hij tevreden.

Het is mijn eigen onzekerheid, constateert Sanne. Er is niks aan de hand. Ik zie weer eens spoken.

'Wat had je voor grap, toen ik binnenkwam?' informeert Rob nieuwsgierig.

Bram vertelt en Rob kijkt even verbaasd naar Sanne.

'Waar heb je die vandaan?' vraagt hij.

'Aan de bar in 't Raetsel natuurlijk,' lacht ze. 'Ik heb een heel programma, dus als jullie willen, ga ik nog uren door! Hoewel, de meeste grappen zijn alleen geschikt voor een gezelschap dat echt een goeie borrel opheeft. Vooral het goochelgedeelte, want daar ben ik niet zo heel goed in! Ook mijn buikspreken is wat minder. Dat doe ik alleen na tweeën!' Iedereen lacht en Rob kijkt haar verwonderd en bewonderend aan.

'Allemachtig. Ik ontdek een heel nieuwe kant aan jou,' verzucht hij. En ook daar moet iedereen om lachen. Maar even later is het gesprek toch heel wat serieuzer geworden. Rob wisselt met de anderen informatie uit over het isoleren van de muren van het huis en de mannen verdiepen zich in technische gegevens en schattingen van het rendement van zo'n operatie, afgezet tegen de investering ervan. Sanne luistert met een half oor, terwijl ze naar buiten kijkt. De sneeuw blijft vallen en een van de vrouwen zegt: 'Als we nog terug willen, moeten we nu weg. Het ligt echt hoog en het houdt maar niet op. Zullen we een poging wagen?' Haar man knikt.

'Als jullie allemaal weggaan, sluit ik de tent af. Er komt toch niemand eten met dit weer en dan kan ik tenminste nog naar huis komen,' besluit de eigenaar.

'Goed idee,' knikt Bram. Ze ruimen samen de glazen op en rekenen af. Even later staan ze allemaal buiten, de eigenaar sluit de deur en zegt: 'Goed doorlopen, hè? Denk aan het meisje met de zwavelstokjes!' Ze lachen.

'En bij lawines je arm omhoogsteken! Dan komt die nog boven de sneeuw uit!' roept Rob. Ze ploeteren moeizaam voort. Hazel springt door de verse sneeuw als een dolfijntje door de golven. Lia en Bram zijn als eersten bij hun huis en gaandeweg wordt het gezelschap kleiner, totdat Sanne, Rob en Hazel nog over zijn. Sanne hijgt. Haar voeten zijn kleddernat, de sneeuw dringt overal in door en ligt zo hoog dat ze daar niet op gekleed is. Haar broek is tot boven haar knieën drijfnat. Zelfs Rob, die rubberlaarzen draagt, heeft het heel moeilijk.

'De sneeuw ligt zo hoog, dat er nu een laag water in mijn laarzen staat,' moppert hij. Hazel ploegt nog dapper door, maar ook zij moet soms haar best doen om in beweging te blijven.

'Nog even,' spoort Sanne aan. Af en toe wisselen ze, want wie vooroploopt, heeft het zwaarste werk.

'Ik kan nooit meer vinden waar het trapje loopt,' merkt Sanne op, als ze bijna bij het huis zijn. Ze ziet de schoorsteen roken en bedenkt dat het binnen heerlijk warm moet zijn.

'Daal maar meteen af. Straks struikelen we nog over de treden,' wijst Rob. Voetje voor voetje bereiken ze de deur en Rob schuift met zijn voeten zoveel mogelijk sneeuw opzij om de deur open te kunnen maken.

'Ik ga meteen hout halen. Nu kunnen we er nog bij,' zegt hij. Samen banen ze zich een pad naar het houthok en brengen daarna twee grote manden hout naar binnen. Rob vult meteen de kachel bij en daarna trekt hij moeizaam zijn laarzen uit. Sanne maakt met verkleumde vingers de veters van haar schoenen los. 'Koud!' blaast ze.

Rob zegt: 'Ik voel m'n tenen helemaal niet!' Hij pelt zijn kletsnatte sokken af en wrijft zijn voeten.

'We moeten een warme douche nemen en dan meteen goed aankleden,' besluit Sanne. Ze loopt meteen naar de badkamer en zet de douche aan.

'Vlug! Alles uit!' gebiedt ze Rob. Die grijnst en wijst. 'De gordijnen!'

'O, doe dan dicht,' moppert Sanne geduldig. Ze trekt meteen haar trui uit en roept tegen Rob, die snel de gordijnen dichttrekt: 'Alsof er iemand langskomt met dit weer!'

'Het scheelt in ieder geval voor de warmte,' zegt Rob tevreden. Ze lopen giebelend naar de badkamer, klimmen in bad en laten met hun armen om elkaar heen het warme water over hun lichamen stromen. Even later zitten ze voor de warme kachel met een kop soep.

'Ik vind het heerlijk. Voor mijn part sneeuwen we helemaal in,' geniet Sanne.

Maar de volgende ochtend is het weer opeens omgeslagen en dooit het zo hard, dat het winterlandschap in één klap veranderd is in een vieze kledderboel. De wandeling met Hazel is een ramp en de meeste bospaden zijn onbegaanbaar. Ze blijven zoveel mogelijk binnen en Rob laat haar lezen wat hij aan Henk Takken heeft geschreven. Af en toe krijgt Sanne tranen in haar ogen. Het is een ontroerende brief, waarin Rob schijnbaar koel en zakelijk afscheid neemt van een vader die hij nooit heeft gehad en nauwelijks heeft gekend. Maar die toch getuigt van spijt en gemis.

Rob schrijft: 'Het is jammer dat u destijds uw verantwoordelijkheid niet hebt aanvaard, toen Cootje u meldde dat ze zwanger was. U hebt me zelf verteld dat u dat nog steeds betreurt. Gelukkig is het nooit te laat om spijt te betuigen. Ik reken erop dat u nu uw verantwoordelijkheid wel aanvaardt. Dat betekent simpelweg dat u geen poging meer zult ondernemen om contact op te nemen met mij of met iemand van mijn gezin. U hebt de gelegenheid gekregen om een nieuw leven op te bouwen. Ik hoop dat u dat zinvol kunt invullen. Ik kan daar echter geen rol in spelen. We zijn voorgoed elkaars verleden tijd. Ik wens u verder alle goeds. Rob.'

Sanne vouwt de brief weer op en geeft hem aan Rob. Hij kijkt haar vragend aan.

'Mooi. Heel mooi. En duidelijk. Ik ben er een beetje stil van,' zegt ze.

'Nu moet ik een advertentie zetten en hem die brief geven. Er is geen andere manier. Maar het is de laatste keer dat ik hem ontmoet,' belooft Rob. Sanne knikt.

'Dan hoef je nooit meer te piekeren,' belooft hij haar en dan schiet hij zelf in de lach. 'Ik kan me jou niet eens voorstellen zonder gepieker,' lacht hij.

'Ik leer het nog wel. Heus waar,' belooft ze.

Als ze de volgende dag terugrijden, merkt Rob op: 'Nog twee weken. Dan zitten we op Samos.'

'Ik kan wel wat zon gebruiken,' vindt Sanne. 'Sneeuw is alleen maar leuk als het blijft liggen. Het ziet er nu maar smerig uit. Het wordt tijd voor lente.'

Die lente breekt uitbundig los zo gauw de zon begint te schijnen. Twee dagen later al ziet Sanne hoe de krokussen de grond uit lijken te springen en de dikke knoppen van de kastanje barsten open. De forsythia steekt knalgeel af tegen het prille groen en overal zingen de vogels. Als ze met Hazel over de hei loopt, lijkt het soms alsof ze de lente kan ruiken en voelen en grijpen.

'Mensenkriebels, wat lekker,' verzucht ze half hardop en ze krijgt meteen de natte snuit van Hazel tegen haar hand gedrukt, als instemmend antwoord.

Die avond zegt Rob: 'Morgenmiddag heb ik een afspraak met Henk Takken. Dan geef ik hem de brief. Als je wilt, mag je mee.

Ik heb afgesproken in Amsterdam en ik dacht daarna meteen een kijkje te nemen in het veilinghuis. Vind je dat leuk? Lekker neuzen? En misschien daarna ergens een hapje eten?'

'Heerlijk!' zegt Sanne verrast.

'Dan maken we er een leuke dag van,' besluit Rob. Aan zijn gezicht kan ze zien dat hij er vrede mee heeft. Er klinkt geen spijt in zijn woorden door. Dus beaamt ze dankbaar: 'Dat doen we.'

Omdat Rob 's ochtend eerst nog naar de krant gaat, brengt Wichard Sanne naar het station.

'Kijk je uit?' vraagt hij zorgzaam.

'Ja, schat,' spot Sanne. En ze schudt haar hoofd. Waar is de tijd gebleven dat zij zich zorgen maakte om Wichard en hem bestookte met goede raad en advies? Ze heeft hem geen moment kunnen steunen nadat Suzanne had besloten dat ze hem niet meer wilde zien. Wat moet hij daar verdriet van hebben gehad. Maar hij maakt zich alleen maar zorgen om haar en zegt nu dat ze moet uitkijken!

'Rij voorzichtig,' gebiedt ze hem en dan retourneert hij haar spottende antwoord. 'Ja, schat!' Ze lachen allebei.

Rob staat haar in de stationshal op de afgesproken plaats op te wachten.

'Klaar voor de overdracht?' vraagt hij. Ze knikt.

'We pakken een trammetje,' wijst hij. Even later boemelen ze dwars door de stad op weg naar het park, waar ze Henk Takken zullen ontmoeten. Ze zwijgen allebei, toch gespannen door de wonderlijke missie. Als ze uitstappen, pakt Rob haar hand vast.

'We houden het kort,' zegt hij tegen haar. 'Kort en zakelijk. Goed?'

'Goed,' knikt Sanne. Ze stappen stevig door tot ze Henk Takken op een bank zien zitten. Hij staat meteen op, als hij Rob en Sanne ziet aankomen en hij kijkt om zich heen. Als hij verder niemand ziet, komt hij op hen af gelopen.

'Zo jongen,' zegt hij tegen Rob. Hij geeft hem een hand en legt ook zijn linkerhand om de hand van Rob. Zwijgend schudt hij Sannes hand.

'Ik heb een brief voor u. Want dit is definitief de laatste keer dat we elkaar zien. Die wil ik u nu geven. Dan draai ik me meteen om en loop ik weg. Goed?' Rob spreekt alles vastbesloten uit, alleen in het woord 'goed' klinkt een smeekbede door. Stribbel niet tegen, kom niet met een discussie, maar aanvaard dit. Alsjeblieft!

Definitief geen weerzien meer. De woorden van Rob echoën na, maar Henk Takken vertrekt geen spier.

'Ik begrijp het,' zegt hij. Weer steekt hij zijn hand uit naar Rob, die meteen de hand vastpakt, nu op zijn beurt met beide handen.

'Het ga je goed,' zegt Rob.

'Ja, jou ook,' antwoordt Takken. Nu kan Sanne duidelijk de emotie in zijn stem horen. Dan laat Rob zijn hand los. Takken draait zich om en loopt weg.

Net als Rob zich naar Sanne toedraait en zegt: 'Kom, we...' klinkt er een geluid alsof er vuurwerk wordt afgestoken. Sanne kijkt verschrikt op en Rob keert zich weer van haar af. Het is net alsof ze naar een film kijkt die vertraagd wordt afgedraaid.

Rob schreeuwt: 'Nee! Néééé!' Hij steekt zijn hand uit naar zijn vader die even verderop op het pad staat, roerloos, zijn gezicht naar hen toegekeerd en zijn hand aan zijn keel. Rob begint te rennen op het moment dat zijn vader langzaam door zijn knieën zakt en daarna achterovervalt, terwijl zijn onderbenen vreemd opzij draaien. Sanne staat aan de grond genageld, haar adem gaat steeds sneller en als ze een stap doet, voelt ze hoe slap haar knieën zijn. Ik kan niet lopen, bedenkt ze verwonderd. Maar een tel later zit ze naast Rob die zijn vader in zijn armen houdt en met een vrije hand over zijn haar streelt.

'Hij is dood,' zegt Sanne.

'Ja.' Rob kijkt haar aan, zijn ogen vol tranen.

'Och, jongen toch,' zegt Sanne vol medelijden.

Achteraf heeft ze geen idee hoe lang ze daar samen zitten. Maar als ze weer opkijkt, ziet ze een heleboel mensen om hen heen, die toekijken en praten en bellen met hun mobiele telefoons. Er klinkt opeens overal geluid van sirenes en er rennen politie-agenten die Rob en haar met zachte dwang weghalen bij het lichaam van Henk Takken. Een agente beklopt Sannes kleren en haar lichaam en daarna begeleidt ze Sanne naar een politie-wagen. Verward beseft ze dat ze is gefouilleerd en dat Rob in een andere auto wordt gezet.

'Waar gaan we naartoe?' vraagt Sanne nerveus aan de agent achter het stuur. Die antwoordt: 'Naar het politiebureau, me-vrouw. Voor verhoor.' Dan begrijpt ze ook waarom ze niet bij Rob in de auto zit. Ze zijn natuurlijk allebei verdacht. En om te voorkomen dat ze dingen gaan afspreken, zijn ze meteen uit el-kaar gehaald. Zo niet verdacht, dan in ieder geval belangrijke getuigen. De vrouwelijke agent stapt in en ze rijden meteen weg. Sanne doet haar ogen dicht en draait de film weer voor haar ogen af. Er was een motor. Of misschien een bromfiets. Dat weet ze niet zeker. Zwart, met een hoog stuur. Een jongen met een leren jack en een spijkerbroek. Een zwarte helm met een donker vizier. Zo'n scherm, dat je neer kunt klappen. Je kon zijn gezicht niet zien. Hij reed langs toen Rob zijn vader een hand gaf, gewoon, heel rustig, voorzichtig zelfs. Hij? Ja, hij. Het was een man. Heeft ze verder nog mensen gezien in het park? De twee jonge vrouwen bij de vijver, allebei met een buggy met een peutertje erin. De ene had een witte gewatteerde jas aan. De an-dere een soort colbertje. Met een grote sjaal. Groen. Met franje. Verder? Nee. Alleen dat geluid. Dat waanzinnige, verscheuren-de geluid. Die verbaasde ogen, eerst. En toen al dat bloed bij zijn hals. Ze kreunt hardop en de ene agent voor in de auto keert zich half om en zegt: 'We zijn er bijna, mevrouw. Is alles goed met u?'

Op het bureau krijgt ze koffie. De verhoorkamer heeft trooste-
loze groene muren, een formicatafel en oranje plastic stoeltjes.
Maar de koffie is vers. Sanne haalt een paar keer diep adem. Er
schuiven drie rechercheurs aan die haar komen ondervragen. Ze
geven haar een hand, noemen hun naam en stellen vervolgens
vragen, vriendelijk en heel correct. Maar het duurt lang en iedere keer krijgt ze dezelfde vragen voorgeschoteld.
'Dat heb ik toch al verteld?' reageert ze aanvankelijk verbaasd
en later kribbig.
'Vertelt u het nog maar een keer,' zegt de dikke man op de hoek
dan iedere keer. Zijn toon is een wonderlijke mix van vriende-
lijkheid en dwang. Dus begint Sanne telkens weer opnieuw. Ze
vertelt alles. Niets houdt ze achter. Af en toe verlaat een van de
rechercheurs de kamer. Als ze terugkomen, is er altijd een soort
overleg en dan lijken de vragen zich toe te spitsen op een deel
van de hele geschiedenis. Maar drie uur later, als de dikke terugkomt, is het plotseling afgelopen. Sanne wordt hartelijk bedankt
voor haar medewerking en krijgt het verzoek om contact op te
nemen als haar nog een detail te binnen schiet.
'En u moet tekenen voor geheimhouding.'
'Natuurlijk,' belooft Sanne.
'Dan breng ik u naar de wachtkamer. Uw echtgenoot is ook
bijna klaar. Dan kunt u samen vertrekken,' knikt de man.
In de wachtkamer liggen kranten en weekbladen. Sanne bladert
een roddelblad door zonder ook maar iets te registreren. Als de
deur opengaat en Rob binnenkomt, staat ze op en valt in zijn
armen.
'Rustig maar,' sust hij.
'Ik vind het zo erg voor jou,' fluistert Sanne.
Even later zijn ze samen op weg naar het station.
'Ik word binnenkort geïnformeerd hoe het verdergaat. Het is
hartstikke ingewikkeld, want eigenlijk is hier iemand vermoord
die volgens de burgerlijke stand al lang dood is. Binnenlandse
Zaken zal het er nog druk mee krijgen. Heb jij ook moeten
tekenen dat je hier niets van naar buiten zult brengen?' vraagt

Rob. Sanne knikt en schrikt enorm als er een brommer langsrijdt.

Rob knijpt in haar hand, terwijl de brommer gewoon verder
rijdt.
'Niks aan de hand,' zegt hij.
'Zouden ze de dader ooit vinden?' vraagt Sanne.
'Die komt uit dezelfde kring als jouw ontvoerders,' zegt Rob.
'Die krijg je niet zo makkelijk te pakken. En de opdrachtgevers
al helemaal niet.'
'Maar wij zijn nu veilig,' zegt Sanne zachtjes.
'Ja. Dat wel,' beaamt Rob. Zwijgend lopen ze verder. Als ze
langs een klein, bruin kroegje lopen, ziet Sanne dat Rob even
opzij kijkt.
'Zullen we? Eén borreltje?' stelt ze voor. Hij stopt meteen, keert
om en trekt Sanne mee naar binnen. Een forse barvrouw in een
strak truitje met panterprint kijkt even op als ze binnenkomen en
pakt meteen twee glaasjes en de jeneverfles als Rob twee vingers opsteekt. Ze kijken toe hoe de vrouw de glaasjes tot de rand
toe vult en de fles op de bar zet. Ze buigen voorover en nemen
voorzichtig de eerste slok. Dan pakt Rob zijn glaasje en slaat het
in één keer achterover. Sanne aarzelt even. Maar niet lang. Ze
pakt het glas en giet in één keer de inhoud in haar keel. Dan zet
ze het glas met een klap neer. De barvrouw houdt de fles omhoog en Rob knikt. Ze vult de glazen en bergt de fles dan pas
weer in de koeling. Rob neemt een slok en zucht.
'Zeg dat wel,' merkt Sanne op. Maar de stilte is nog niet weg. Ze
staren allebei naar hun glas en nippen af en toe voorzichtig. De
barvrouw staat glazen op te poetsen.
'Zullen we Wichard bellen?' vraagt Sanne zich af. Rob schudt
zijn hoofd.

Sanne draait met haar glas en wringt nog maar eens de laatste druppeltjes eruit.

'Nog één?' vraagt Rob.

'Niet voor mij. Dank je.' Hij gebaart naar de barvrouw die zijn glas nog een keer bijvult.

'Over een paar dagen gaan we naar Samos,' bedenkt hij halverwege zijn derde borrel.

'Cootje moet het weten,' bedenkt Sanne. 'En je werk.' Rob lacht een beetje en zegt: 'Dat kan ik moeilijk doen. Ze mogen nergens van weten. We krijgen alle instanties op onze nek als we hierover praten. Misschien kunnen we het beste gewoon tegen niemand iets zeggen. Ook niet tegen Wichard of tegen Cootje.'

'Er zal toch wel iets over in het nieuws komen?' zegt Sanne.

'Ja. Maar vast niet wie het eigenlijk was. Wedden?'

'Hij zakte zo door zijn knieën,' merkt Sanne op. Ze ziet de film weer voor haar ogen afdraaien. 'Ik raak dat beeld nooit meer kwijt.'

'Kom, we gaan afrekenen,' zegt Rob. De barjuffrouw schuift een rekeningetje naar hem toe en hij legt geld op de bar.

'Zo is het goed,' zegt hij. Ze glimlacht.

'Sterkte,' zegt ze, als Sanne en Rob opstaan en weglopen.

'Dank u,' knikken ze.

Die avond kijken ze samen naar het nieuws, waar een kort item te zien is over een man die in een park is neergeschoten. De nieuwslezer leest voor: 'De identiteit van de man is vooralsnog onbekend. Ook over het motief van de voortvluchtige dader of daders tast de politie in het duister. Een getuige heeft twee jonge mannen zien wegrennen. Het vermoeden rijst dat hier sprake is van een liquidatie naar aanleiding van een mislukte drugsdeal.' Op het begeleidende beeld zie je een paar bomen, struiken en wat roodwitte linten om de plek af te zetten.

'Dat doen ze slim. Nu interesseert het niemand meer wie hier vermoord is en ook niet wie het gedaan heeft. Iedereen die dit ziet, denkt: Mooi. Laat dat tuig elkaar maar afmaken. En dan dat beeld. Blijkbaar heeft niemand gefilmd terwijl Henk Takken er nog lag.'

'Of de politie heeft dat in beslag genomen of gewist. Als ze echt willen, kunnen ze van alles zoekmaken,' oppert Sanne.

Rob knikt. 'Ze hebben ook een getuigenverklaring bedacht.'

'We moeten proberen dit uit ons hoofd te zetten,' zegt Sanne.

'Dat lukt me voorlopig vast niet,' verzucht Rob.

Drie dagen later belt Rob haar op vanaf zijn werk.

'Ik heb een telefoontje gekregen van een afdeling van de AIVD. Ze willen ons spreken over de moord op Takken. Samen. Kun jij vanmiddag naar me toe komen? Ik heb een adres opgekregen van een advocatenkantoor. Ze willen ons graag om drie uur zien, maar als het je helemaal niet uitkomt, kan het ook morgen. Wat denk je? Ik wil graag vanmiddag, want ik ben razend nieuwsgierig.'

'Ik kom eraan,' belooft Sanne meteen. Ze laat als een haas Hazel uit, duikt onder de douche, kleedt zich zorgvuldig aan en besteedt extra zorg aan haar make-up. Zodra ze haar auto op de parkeerplaats bij de redactie oprijdt, belt ze Rob.

'Ik ben er.'

'Ik kom meteen naar beneden. We gaan lopen,' zegt hij. Ze sluit haar auto af en merkt dat haar handen trillen. Ik ben supernerveus, beseft ze. Het is ook niet normaal om dit allemaal mee te maken, zonder erover te kunnen praten! Ze heeft juffrouw Schaap zelfs gemeden uit angst het anders niet voor zich te kunnen houden. Maar het trillen houdt op als Rob haar begroet met: 'Wauw! Wat zie jij er goed uit! Jemig, wat ben je toch mooi!'

Ze lacht meteen zorgeloos. 'Ik dacht, we gaan dit tegemoet met oorlogskleuren op. Lekker weerbaar!'

Hij slaat meteen twee armen om haar heen. 'Met jou kan ik alles aan,' zegt hij stellig. 'Kom. Dan gaan we eens zien wat die mannen te vertellen hebben.'

Het adres dat Rob heeft opgekregen is een grachtenpand, groot en statig. Ze moeten een trap op om de voordeur te bereiken. Rob wijst even naar de gepoetste koperen naamplaat waarop de naam staat van een advocaat die regelmatig in het nieuws is.

'Niet zomaar een kleine jongen,' merkt Rob op. Ze drukken op de bel en Sanne ziet de camera links boven zo draaien dat ze allebei in beeld zijn.

'Goed beveiligd ook,' wijst ze. De deur klikt open en ze stappen de hal binnen, waar alles ruikt naar boenwas en waar de marmeren vloer onder hun voeten glimt als een spiegel. Een jongeman in driedelig kostuum komt op hen af, steekt zijn hand uit en zegt: 'Mag ik me even voorstellen? Mark Jan Nijenhuis. Wilt u mij maar volgen? Dan breng ik u naar de spreekkamer. En wat kan ik voor u inschenken? Koffie? Thee?' Onderwijl lopen ze achter Mark Jan aan over de dikke tapijten die naar het schijnt lukraak op de marmeren platen zijn gelegd.

'Heel graag koffie,' zegt Sanne.

Rob schraapt zijn keel en zegt: 'Mineraalwater. Geen bubbels.'

'Komt helemaal in orde. Gaan we even vlot voor u regelen,' zegt Mark Jan gladjes. Hij duwt een enorme, mahoniehouten deur open en zegt: 'Kijkt u eens. Maak het u gemakkelijk. Ik breng u zo de koffie en het watertje.'

Sanne en Rob lopen naar binnen. Een grote, glimmende notenhouten tafel domineert de kamer, die bekleed is met 17e-eeuws leren behang. Daaromheen zijn goudkleurige ornamenten aangebracht van engeltjes, wijnranken en duiven. Er hangt een enorme kroonluchter en het plafond is beschilderd met afbeeldingen van veldslagen uit de Romeinse oudheid. Als contrast staan er zwartleren stoelen met een stalen frame.

'Heel indrukwekkend,' mompelt Rob. Ze lopen naar achteren en gaan daar naast elkaar aan tafel zitten, zodat ze een goed zicht hebben op iedereen die de deur binnenkomt.

Sanne kijkt kritisch om zich heen, speurend of ze ook hier een camera aantreft. Ook al ziet ze niets, toch zegt ze tegen Rob: 'Nu zitten ze in een andere ruimte naar ons te kijken. Ik heb de neiging om te zwaaien.' Rob schiet in de lach en meteen komt Mark Jan binnen met een dienblaadje. Hij presenteert de koffie en het water met zoveel schwung dat Sanne even vermoedt dat hij een opleiding in de horeca heeft gevolgd in plaats van in de advocatuur. Onderwijl babbelt hij honderduit.

'En daar is de koffie. Vers gezet, met een koekje erbij, zo, kijkt u eens! En het watertje voor meneer. No bubbels.' Hij schenkt een bodempje in en zet het flesje zo neer dat het etiket naar Rob toegedraaid is. Sanne kan een grijns niet meer onderdrukken.

'Dat doet u prachtig,' prijst ze.

'Dank u wel. Mijn motto is: als je toch iets doet, waarom zou je het dan niet perfect doen?' antwoordt Mark Jan.

'Ik ben er ondersteboven van,' knikt Sanne.

Hij lacht en zegt: 'Ik zal maar eens kijken of de rest van het gezelschap al gearriveerd is.'

'Wat een vreselijk mannetje,' moppert Rob als Mark Jan Nijenhuis de kamer weer verlaten heeft. Sanne schiet meteen in de lach. 'Dat weet hij nu ook. Alles wat je in deze kamer zegt, kan tegen je gebruikt worden, lieverd. Als je die arme jongen niet wilt kwetsen, kun je beter zwijgen. Hij doet in ieder geval vreselijk zijn best.'

De deur zwaait open en Mark Jan houdt de deur vast voor een delegatie van drie mannen die binnenlopen.

'Even voorstellen: de heer Niborgh, de heer Bahadour en de heer Van Naarden. Bij ons bekend als de drie wijzen, zij het niet uit het Oosten. Mocht u nog iets willen gebruiken, dan kunt u even bellen.' Hij wijst op een belletje midden op de tafel. Dan kijkt hij Sanne aan en zegt: 'Een belletje is voldoende. Ik ben volledig tot uw dienst. Mijn motto is: doe je best, meer kun je niet doen.' Hij knikt haar indringend toe, keert zich om en verlaat de kamer. Sanne geeft meteen een schopje tegen Robs enkel om hem te waarschuwen. Zie je wel! Deze kamer wordt inderdaad afgeluisterd. Mark Jan wist precies wat we hebben gezegd. Maar als ze opzij kijkt, ziet ze dat Rob met een brede glimlach naar de drie heren tegenover hen zit te kijken. Dan pas dringt tot haar door wat Mark Jan bedoelde met 'de drie wijzen'. Want Niborgh heeft alle trekken van een blonde Viking, Bahadour is onmiskenbaar afkomstig uit Azië en de huid van Van Naarden is vrijwel zwart.

'Wij zijn een bijzonder koppel,' zegt de laatste zonder een enkel accent. 'Ik weet wat voor verplettcrende eerste indruk we maken op mensen.'

'Maar daar wilde u hct natuurlijk niet met ons over hebben,' zegt Sanne meteen. Ze voelt dat Rob verrast opzij kijkt, maar ze is zo op haar hoede voor deze drie mannen die ze absoluut niet vertrouwt, dat ze geen zin heeft in omtrekkende bewegingen in dc vorm van drie wijzen uit het Oosten.

'Natuurlijk willen we het daar niet over hebben,' zegt Van Naarden. Hij kijkt haar even geïrriteerd aan, wrijft in zijn handen en zegt: 'We hebben het dossier naar aanleiding van de aanslag op uw vader doorgenomen.'

'Ik geef er de voorkeur aan dat u aan hem rcfereert als "Henk Takken". De tcrm "vader" lijkt me niet op zijn plaats,' zegt Rob afgemeten. Sanne haalt opgelucht adem. Gelukkig, ook Rob is honderd prooont op zijn hoede. Wat willen die mannen?

De dric wijzen kijken naar elkaar en dan zegt Bahadour: 'Uw vader heeft u icts gegeven. Wij willen graag weten wat.'

'Ik heb niets gekregen,' antwoordt Rob verbaasd. Van Naarden kucht nog een keer geïrriteerd. Dan zegt hij: 'Zijn advocaat is een heel andere mening toegedaan. We zullen hem er even bijroepen.' Hij belt en meteen komt Mark Jan binnen. Als hij de opdracht verneemt, knikt hij en verlaat de kamer.

'Als u al weet dat de advocaat iets heeft gezegd over iets dat ik gekregcn zou hebben, dan kunt u mij dat toch ook wel vertellen?' vraagt Rob, nogal verbaasd over de gang van zaken.

'We laten niets aan interpretatie over,' zegt Van Naarden. Zijn collega's knikken. 'U begrijpt, dit is een zaak van binnenlandse veiligheid en we moeten daarin uiterst secuur te werk gaan.'

Sanne blaast ongeduldig. 'We hadden erop gerekend dat u met informatie zou komen,' begint ze. 'Over de begrafenis of crematie, bijvoorbeeld.'

Van Naarden houdt zijn hand op om haar te laten stoppen. 'Daar kunnen we kort over zijn. Het lichaam wordt gecremeerd en uitgestrooid op het algemene strooiveld van een grote begraafplaats. Het tijdstip kunnen we u niet geven.' Hij trommelt ongeduldig met zijn vingers op de tafel.

'Waar blijft die vent,' sist hij.

'Ik ga wel kijken,' biedt Bahadour aan. Hij staat op en gaat weg.

'Triest,' zegt Rob.

'Pardon?' vraagt Van Naarden.

'Die crematie. Zo helemaal alleen.'

'Tja...' Van Naarden hervat zijn getrommel en knikt naar Niborgh. Die schuift zijn stoel naar achteren en verdwijnt.

'Is de advocaat ervandoor?' informeert Sanne laconiek.

Het levert haar een getergde blik van Van Naarden op. Hij zucht geïrriteerd, mompelt: 'Neem me even niet kwalijk,' en verlaat de ruimte.

Sanne schiet in de lach. 'Wat een raar toneelstukje,' zegt ze.

'Idioot,' beaamt Rob. 'Die man zal wel op de wc zitten of zo. Waarom hebben ze hem er dan niet meteen bij uitgenodigd. Maar wat zouden ze eigenlijk bedoelen? Takken heeft mijn brief gekregen. Die hebben ze ongetwijfeld gevonden. Wat zou ik van hém gekregen hebben? Wat een waanzin.' Rob kijkt haar aan.

'Ik hoop maar dat ze opschieten. Heb jij eigenlijk nog vragen?'

Rob knikt. 'Ja. Ik wil graag een stamboom met familie van Takken. Tenslotte is dat ook míjn familie. Misschien heb ik nog wel halfbroers van zijn kant. Of zusters. Tantes, ooms, weet je veel? We weten eigenlijk niks van hem.'

'Maar voorlopig heb ik even geen behoefte aan nieuwe ontwikkelingen, hoor,' waarschuwt Sanne hem.

Hij lacht. Dan zegt hij: 'Ik zou ook nog graag een goede foto van hem willen hebben. Een recente. Maar niet eentje met een balkje en een nummer.' Hij grinnikt om zijn eigen grapje. Op dat moment komen de drie mannen weer binnen, echter zonder advocaat. Sanne en Rob kijken verbaasd op.

'Het was een misverstand,' zegt Van Naarden, terwijl hij een brief op tafel legt. 'De advocaat heeft een brief gekregen die hij na de dood van Henk Takken aan u moest overhandigen. We hebben de brief gelezen en u kunt hem nu meenemen. Neemt u ons niet kwalijk. Hebt u nog vragen?' Rob knikt en vraagt naar de stamboom, eventuele huwelijken, en de foto. Bahadour knikt als eerste en zegt: 'We zullen de gegevens verzamelen en alles over de post toesturen. Binnen een maand hebt u alles. Ik zal er mijn kaartje bijdoen, voor het geval u nog vragen hebt over het materiaal. Akkoord?'

'Fantastisch,' zegt Rob.

Even later staan ze samen in de hal, geëscorteerd door Mark Jan Nijenhuis. Rob heeft de brief van zijn vader in zijn binnenzak gestopt voordat hij Mark Jan een hand geeft.

Die lacht en knikt bij het afscheid, en babbelt op een gemoedelijk toontje: 'De wind is guur, kleed u goed aan, bagagekluis op het station, prettig met u te hebben kennisgemaakt, kijk uit op de stoep, die is mogelijk glad, want de glazenwasser is bezig, ik ga u voor, tot ziens, da-ag!'

Totaal verbijsterd lopen Sanne en Rob de gracht op.

'Hoorde je dat?' vraagt Rob voorzichtig, als ze een paar honderd meter verder zijn.

'Ja,' zegt Sanne.

'Wat moeten we daarmee?'

'Geen idee.' Ze lopen terug naar de krant, waar hun auto's staan. Onderwijl overleggen ze. Wat bedoelde Mark Jan? Wat was dat voor gedoe over iets dat Henk Takken gegeven zou hebben?

'Ze zaten gewoon te vissen. Toen we oprecht onschuldig reageerden, ook toen we alleen waren, hebben ze gedacht dat er geen sporen meer zijn. Dus besloten ze de boel de boel te laten.

Maar wat moeten we met die melding van Mark Jan Nijenhuis?'
'Bagagekluis op het station, ik hoor het hem nog zo zeggen tussen al dat gebabbel door,' zegt Rob.
'Heel raar. Echt heel raar. Laten we het maar naast ons neerleggen. Je hebt nu een brief van je vader. En er komen een foto en een stamboom. Misschien kun je het nu afsluiten. Het is allemaal al triest genoeg. Daar hoeven we geen raadsels aan toe te voegen. Die Nijenhuis is misschien een beetje de weg kwijt. Een notoire babbelkont, toch?'
'Ja, dat is ie zeker,' beaamt Rob.
Ze rijden achter elkaar aan naar huis, parkeren op de parkeerplaats en zwaaien naar Wichard in de kantine.
Hazel kwispelt zich in allerlei bochten van pret als Rob en Sanne het huis binnenkomen.
'We gaan lekker even uit, hè, lieverd,' kweelt Sanne op een hoog toontje tegen de hond die meteen op haar rug gaat liggen.
'Ik loop mee,' zegt Rob. 'Ik wil even frisse lucht. En zullen we vanavond bij Wichard in de kantine gaan eten?'
Sanne schudt vol ongeloof haar hoofd. 'En de brief dan? Van Henk Takken?'
'Die kan wachten,' vindt Rob.

Pas 's avonds leest Rob de brief van zijn vader. Sanne leest over zijn schouder met hem mee en ze krijgt even tranen in haar ogen door de korte tekst.
'Jongen, als je deze brief van mijn advocaat krijgt, ben ik er niet meer. Het spijt me dat we elkaar niet echt gekend hebben, maar ik moet eerlijk bekennen dat ik niet bepaald een leven heb geleid waar een kind in paste. Nu ben jij allang geen kind meer en toen ik je ontmoette, voelde ik meteen een bijzondere nieuwsgierigheid om je beter te willen kennen. Toch een wonderlijk va-

dergevoel, alleen veel te laat, veel te laat. Ik hoop dat je met liefde wilt kijken naar de herinnering die ik je nalaat. Aanvaard die
erfenis. Vergeef me. Je vader.'
Rob zit heel stil met de brief op schoot.
'Ik heb hem allang vergeven,' zegt hij schor. 'Ik moet alleen nog
het beeld verdringen van de man die zo opeens werd neergeschoten.'
Sanne gaat naast hem zitten en bukt naar het laatje in de salon-
tafel. Ze rommelt erin en zegt: 'Ik dacht dat hier nog een pakje
zakdoekjes in lag.'
'Die heb ik gisteren in m'n jaszak gedaan,' bedenkt Rob. Sanne
staat op en loopt naar de gang. Daar voelt ze in zijn jaszak. In
de ene zak zit alleen een sleuteltje, maar in de andere zit het
pakje zakdoekjes. Ze neemt het mee naar binnen, pakt er een
zakdoekje uit en geeft er ook eentje aan Rob. Ze snuiten allebei
uitvoerig hun neus.
'Het grijpt me veel meer aan dan ik had verwacht,' bekent Rob.
'Misschien kunnen we het op Samos helemaal van ons afzetten,'
zegt Sanne.
Rob knikt. Dan zegt hij: 'Als je het niet erg vindt, dan loop ik
even naar de kantine. Even een biertje met Wichard, gewoon
even lachen en nergens aan denken. Ga je mee?'
Sanne schudt haar hoofd. 'Ga jij maar. Ik ga lekker languit op
de bank naar een televisieprogramma kijken dat jij niet leuk
vindt. De Supernanny komt vanavond, geloof ik. Verstand op
nul en kijken naar dreinende kinderen. Heerlijk.'
'Goed zo. Ik neem Hazel wel mee. Heeft die meteen een ommetje.' Rob staat op. 'Ben je nog op, straks? Of laat je gewoon de
deur open?'
'Er zit een losse sleutel in je jaszak. Dus je kunt er altijd in,' zegt
Sanne.
Rob kijkt haar verbaasd aan. 'Een losse sleutel? Ik heb helemaal
geen losse huissleutel. Alleen eentje aan mijn sleutelbos.'
'Ik voelde net een sleutel in je jaszak,' legt Sanne uit. 'Toen ik
zocht naar de zakdoekjes.'

Rob loopt meteen naar zijn jas en voelt. Dan haalt hij een sleutel tevoorschijn waar hij bijna verbijsterd naar kijkt. Hij houdt zijn adem in en zegt: 'Dat is geen huissleutel.'

Sanne kijkt hem vragend aan. 'Wat is het dan?'

Hij lacht een beetje en kijkt nog een keer nauwkeurig naar de sleutel. Dan gooit hij hem naar Sanne toe. Ze vangt hem met één hand en kijkt.

'Er staat een nummer op. Nummer 127,' zegt ze verbaasd.

'En dat is geen huisnummer,' zegt Rob.

Opeens beseft ze het. Ze kijkt Rob aan en schudt haar hoofd.

'Nee. Dat is geen huisnummer. Dat is...'

'Een kluisnummer,' vult Rob aan. Ze staren elkaar even zwijgend aan. Dan zegt Rob: 'Lees die brief nog eens. Wat zei Henk Takken nu precies over de erfenis?'

Sanne pakt de brief en leest voor: 'Ik hoop dat je met liefde wilt kijken naar de herinnering die ik je nalaat. Aanvaard die erfenis.' Ze kijkt Rob aan en zegt: 'Jouw erfenis bevindt zich in een kluis.' Sanne begint te grijnzen. Ze doet het opgewonden toontje na van Mark Jan Nijenhuis en dreunt op: 'Prettig met u te hebben kennisgemaakt, kijk uit op de stoep...' Rob valt haar bij en samen zeggen ze: 'Bagagekluis op het station!'

'Nu valt alles op zijn plek,' concludeert Rob.

Sanne knikt. 'Jouw erfenis, waar je naar kunt kijken, bevindt zich in een kluis op het station!'

'Morgenochtend?' vraagt Rob.

'Morgenochtend,' bevestigt Sanne. Dan bedenkt ze met een schok dat het heel goed mogelijk is dat ze in de gaten gehouden worden door agenten, die er nog steeds rekening mee houden dat Rob iets heel belangrijks heeft gekregen van zijn vader. Rob staat inmiddels zijn jas aan te trekken en Hazel kijkt kwispelend naar hem op. Ze zegt: 'Rob?' Hij kijkt haar aan en knikt.

'Ik weet wat je denkt,' zegt hij.

'Ik kan me niet voorstellen dat ze je niet in de gaten houden,' zegt Sanne.

'Nee. Ik ook niet,' zegt Rob.

'Hallo! Is daar iemand?' roept een bekende stem bij de keukendeur.

'Juffrouw Schaap,' zegt Rob meteen opgelucht. 'Natuurlijk! Juffrouw Schaap gaat het voor ons halen. Ideaal! Regel het met haar, dan ga ik nu naar Wichard. Als ik in de gaten word gehouden, leid ik ze mooi de verkeerde richting uit. Kus!' Hij is meteen weg en Sanne roept naar de keuken: 'Ik ben hier, juffrouw Schaap!'

'Kind, kind, ik kreeg opeens de geest en ik moést gewoon even naar je toe. Vertel eens, wat is er allemaal gebeurd?' Juffrouw Schaap gaat tegenover haar zitten en wacht af.

'Robs vader is neergeschoten waar we bij waren en vandaag zijn we op een advocatenkantoor geweest om mensen van de veiligheidsdienst te spreken, en nu ligt de erfenis in een kluis en Rob hoopt dat u die wilt halen, omdat ze hem nog steeds in de gaten houden.'

Juffrouw Schaap knikt bedachtzaam, en zegt: 'Begin maar eens bij het begin. Dan snap ik het misschien wel.'

Juffrouw Schaap luistert, schudt haar hoofd, knikt, maakt bewegingen met haar handen, maar valt Sanne nergens in de rede. Pas als Sanne zegt: 'Dus willen we aan u vragen of u naar het station wilt gaan om de inhoud van de bagagekluis op te halen.'

'Juist.' Schaapje knikt erbij, haar hoofd maakt een wiebelende beweging. Alsof er ook een beetje 'nee' doorheen zit. Sanne wacht af.

'Jullie hebben heel wat meegemaakt. Hoe gaat het nu met Rob?' vraagt Schaapje bedachtzaam.

'Goed. Prima! Hij is heel nieuwsgierig natuurlijk,' vertelt Sanne.

'En verdrietig? Om alles wat niet meer gezegd kan worden? Om alle vragen waar nooit een antwoord op komt?' Schaapjes heldere, wetende ogen kijken Sanne indringend aan.

'We staan niet meer zo stil bij wat we voelen. Rob al helemaal niet, lijkt het. Het is alsof we in een spannend verhaal terechtgekomen zijn, waarvan we zo snel mogelijk de afloop willen weten,' bedenkt Sanne hardop. Schaapje knikt.

'Ik had dit nooit bedacht als u hier niet had gezeten. Rob kan het nog wel eens moeilijk krijgen als alles achter de rug is. Denkt u ook niet?' Onzeker kijkt ze Schaapje aan.

'Ik denk dat het belangrijker is om het verleden goed af te ronden, dan wat er in die kluis zit,' zegt juffrouw Schaap.

'Maar misschien zit er een fortuin in,' werpt Sanne tegen.

'Dat kan. En als je dat aanvaardt, weet je waar dat fortuin vandaan komt. Ik weet niet of ik hieraan wil meewerken,' bedenkt Schaap.

Sanne kijkt haar onzeker aan en zegt: 'U brengt me helemaal in de war. We vonden het net nog zo spannend!'

'Ga eerst eens nadenken over de inhoud. Wat doe je ermee? Wat wil je eigenlijk? Wil je een kapitaal accepteren, terwijl je weet dat er bloed aan kleeft? Geeft dat een prettig gevoel? Praat erover met Rob. Misschien kun je de inhoud van de kluis wel gebruiken als onderpand om te krijgen wat je nodig hebt om het verdriet te verwerken van die vader die er nooit was. Praat met hem. Jullie komen er wel uit.' Schaap staat op en glimlacht Sanne voor het eerst toe. 'Ik hoor het wel,' knikt ze tegen Sanne. 'Dag, kind!'

Als ze weg is, loopt Sanne onrustig door de kamer. Wat nu? Schaapje heeft gelijk. Natuurlijk. Schaapje heeft altijd gelijk. Aan de andere kant, zouden ze zomaar een kapitaal weigeren? Nee, wat zei Schaap? Gebruik het als onderpand. Onderpand... Opeens weet Sanne het. Ze trekt meteen haar jas aan en loopt naar de kantine om Rob op te halen. Halverwege het veld komt ze hem al tegen, Hazel springt meteen enthousiast tegen haar op en terwijl ze de hond aait, zegt ze tegen Rob: 'Lieverd, ik heb een idee.'

'Ik ook,' zegt Rob tot haar verwondering.

'Jij eerst,' zegt Sanne.

'Ik zat te denken, ik wil dat geld helemaal niet. Als het geld is, tenminste. En ik verwacht wel dat het kapitaal betreft. Maar moeten wij daar gelukkig door worden? Ik werd zo-even diep-triest bij de gedachte. Dus ik dacht: we geven het weg. Want het enige dat ik eigenlijk echt zou willen is rust in mijn hoofd. Het was nogal hectisch allemaal. Gevoelsmatig, bedoel ik.' Ze hoort de tranen in zijn stem en beseft nu eens te meer hoe Schaapje precies haar vinger op de zere plek legde.

'Zou het helpen als je je vader een laatste rustplaats mocht geven? Waar je naar toe kon, als je wilt? Of klinkt dat gek?' Ze heeft hem een arm gegeven en streelt even troostend over zijn arm als hij langer zwijgt dan ze verwachtte.

Dan zegt hij schor: 'Ja. Gek hè? Ik zou het prettig vinden als er een graf was. Het slaat natuurlijk nergens op en je vindt er niks, dat weet ik allemaal wel. Maar als ik alleen mijn gevoel laat spreken, zou dat toch goed zijn. Stom.'

'Schaapje opperde dat je de inhoud van de kluis misschien kunt gebruiken als onderpand om te krijgen wat je nodig hebt om je verdriet te verwerken.' Ze stappen naast elkaar door en zwijgen. Dan stopt Rob, keert zich naar Sanne en pakt haar gezicht tussen zijn handen.

'We mogen dankbaar zijn voor ons wijze Schaap. Ik ga morgen bellen met de drie wijzen. Ze mogen van mij hun goud, wierook en mirre hebben. Ik wil een graf voor mijn vader.' Hij kust haar en slaat zijn armen om haar heen. Als ze verder lopen, houden ze elkaar nog steviger vast.

Als Rob de volgende ochtend belt, staat Van Naarden een uur later al op de stoep.

'Eén wijze?' vraagt Rob verbaasd.

'Om minder aandacht te trekken,' glimlacht Van Naarden. 'Gaat u mee?' Ze lopen met hem mee naar een geblindeerde auto en nemen plaats op de achterbank. Van Naarden rijdt zelf en zegt tijdens het rijden: 'We brengen het lichaam van uw vader naar een begraafplaats van uw keuze. Zijn oorspronkelijke naam, Henk Schieringer, mag op de steen. Verder kunt u zelf een tekst opgeven. Als alles in orde is, krijgt u bericht. U kunt ervan overtuigd zijn dat we ons aan ons woord houden. We zijn u erg dankbaar voor uw openheid. Mag ik echter vragen wat u heeft bewogen deze beslissing te nemen?'

'Rechtvaardigheid,' zegt Rob. 'We hadden niet het idee dat deze erfenis bij zou dragen aan ons geluk.'

Van Naarden klikt met zijn tong. 'Met respect voor uw standpunt. Hulde,' zegt hij vol bewondering.

Als ze bij de kluis staan en Rob de sleutel pakt om het deurtje te openen, voelt Sanne evengoed de spanning opkomen. Wat zou erin zitten?

Van Naarden knikt naar Rob, die de sleutel in het slot van het kluisje heeft gestoken.

'Wilt u de inhoud eruit pakken?' vraagt Rob aarzelend.

'Misschien moeten we het wel samen eruit tillen,' antwoordt Van Naarden en voor het eerst hoort Sanne spanning in zijn stem.

'Doe nou maar open,' maant ze nieuwsgierig. Rob schiet meteen in de lach.

'Daar gaat ie dan.' Het deurtje zwaait open. Omdat Rob er recht voor staat, is hij de enige die erin kan kijken.

'En?' vraagt Sanne. Ze zou hem wel opzij willen duwen en wipt van haar ene voet op haar andere om haar ongeduld te bedwingen. Maar ook Van Naarden duurt het veel te lang.

'Wat zit erin?' vraagt hij. Rob pakt een in fluweel verpakt voorwerp uit de kluis en terwijl hij dat doet, valt er een klein doosje op de grond. Sanne bukt meteen en ook Van Naarden schiet naar de grond. Bijna stoten ze hun hoofden tegen elkaar, maar Van

204

Naarden houdt zijn beweging in en maakt een hoffelijk gebaar naar het pakje, dat Sanne vervolgens opraapt. Daar staan ze dan. 'En nu?' vraagt Rob.

'Laten we koffie gaan drinken en even rustig de inhoud bekijken,' besluit Van Naarden. 'Ik had eigenlijk gerekend op een sporttas of een koffertje met inhoud. Waardepapieren en geld. Maar dit? Kom. We gaan naar de stationsrestauratie.' Ze lopen gedrieën naar het eerste perron en zoeken een tafeltje in een rustige hoek van de oude restauratie. Op de antieke, hoge toog zit een witte kaketoe op een stok te krijsen en gymnastische toeren te vertonen. De wanden zijn prachtig beschilderd en een barok bloemstuk ademt de sfeer van vergaan kapitaal en gerimpelde schoonheid.

'Wat een bijzondere plek,' zegt Sanne verbaasd. 'Nooit gedacht dat het hier zo mooi zou zijn.'

'Je kunt hier ook uitstekend eten,' merkt Van Naarden op. En misprijzend erachteraan: 'Maar ik kom hier niet meer, sinds ze geen kraanwater meer willen serveren bij wijn en maaltijd. Je moet mineraalwater bestellen. Bespottelijk. De dienst eet hier niet meer.' Hij wenkt een ober en bestelt koffie.

'Iets erbij?' Rob en Sanne schudden hun hoofd. Sanne heeft een droge mond van spanning en staart naar het dieppaarse fluweel en naar het kleine pakje ernaast.

'Zal ik?' vraagt Van Naarden. Hij vist een paar witte katoenen handschoenen uit zijn zak en trekt ze zorgvuldig aan. Dan pakt hij het kleine doosje. Hij maakt het open en legt het terug op tafel. In het doosje ligt een klein, leren zakje, dichtgebonden met een veter. Van Naarden knoopt het open en schudt de inhoud voorzichtig op zijn wit gehandschoende handpalm.

'Een dasspeld. Nee, een reversspeld.' Hij laat het speldje zien. Een kleine roos op een stekertje.

'Zilver?' vraagt Sanne. Van Naarden kijkt en schudt zijn hoofd. 'Nee, dit is niks waard.'

'Misschien emotionele waarde?' oppert Rob. Hij steekt zijn hand uit en kijkt even vragend naar Van Naarden.

Die knikt meteen en zegt: 'Als u dit als aandenken aan uw va...,
aan Henk Takken wilt bewaren, dan staat u dat volkomen vrij.'
'Ja, dat wil ik graag,' zegt Rob meteen. Hij pakt het kleine roosje en steekt het op de revers van zijn jasje. Sanne ziet hoe hij
even tevreden naar het speldje kijkt. Dan zegt hij met een brede
glimlach: 'Zo gek dat hij zoiets kleins en goedkoops voor me
heeft neergelegd. Het geeft me een heel andere kijk op zijn karakter. Ik ben er echt blij mee.'
Sanne voelt hoe de tranen naar haar ogen schieten. Ze vermant
zich en slikt. Van Naarden heeft nu zijn handen op het fluwelen
pak gelegd.
'Klaar voor de volgende onthulling?' vraagt hij. Als Sanne en
Rob knikken, pakt hij het fluweel uit en terwijl hij behoedzaam
de inhoud op het fluweel neervlijt, fluit hij tussen zijn tanden
door. Sanne ziet een boek. Een heel oud boek met een leren
band.
'Dat is een getijdenboek,' zegt Rob meteen. Van Naarden slaat
het open en meteen zien ze een prachtig gekalligrafeerde pagina
met een rijk bewerkte rand en letters verrijkt met bladgoud. Op
de andere pagina staat een klein schilderijtje van een jonkvrouw
die op een grasveld vol bloemen zit, haar wijde, blauwe rok vol-
geladen met rode rozen en een stralenkrans om haar hoofd. Nog
twee keer opent Van Naarden een pagina in het oude boekwerk
en iedere keer is de voorstelling adembenemend.
'Dit is een vondst. Hier zult u later in de pers nog een hoop van
vernemen. Ongelooflijk. Ik ga hier zelfs niet met handschoenen
aan in verder bladeren. Ik pak het zo snel mogelijk in en breng
het naar een conservator die het onder de juiste temperatuur en
luchtvochtigheid kan bewaren. Fantastisch!' Hij vouwt het fluweel er weer heel behoedzaam omheen en kijkt wat onthutst op
als de ober eindelijk arriveert met de koffie.
'Als het in het nieuws komt, krijg ik dan de primeur? Ik bedoel,
dat is tenslotte mijn vak en dit is toch wel te leuk om er niet even
een deal aan te verbinden,' bedenkt Rob meteen. Van Naarden
lacht.

'Wilt u even ruimte maken?' vraagt de ober, die gevaarlijk boven het kostbare boek balanceert met zijn dienblaadje. Van Naarden pakt het boek meteen op en legt het opzij.

'Ik denk dat ik die afspraak wel kan maken voor u,' knikt hij.

'Mooi,' zegt Rob tevreden.

'Maar wat is het eigenlijk precies? En wat is het waard?' vraagt Sanne.

'Het is een gebedenboek van iemand die zo rijk was dat hij dat voor zichzelf kon laten maken,' vertelt Rob.

'En in geld? Duizenden euro's?'

Rob schiet in de lach. 'Duizenden? Nee. Veel meer,' zegt Rob. Hij strijkt even met zijn wijsvinger over het fluweel. 'Ongelooflijk dat Henk Takken zoiets heeft gekocht om zijn geld te beleggen. Heel bijzonder.'

'Doe eens een gok? Wat brengt zo'n getijdenboek tegenwoordig op?' dringt Sanne aan.

'Ik heb ooit gelezen van een Delfts getijdenboek. Weet u dat ook?' vraagt Van Naarden aan Rob.

Die knikt. 'Ja, een paar jaar geleden. Dat is geveild en gekocht door een Engelsman. We hebben dat in de krant gehad. Anderhalf miljoen bracht het op.'

'Ik heb daar foto's van gezien. Het haalde het niet bij dit exemplaar,' zegt Van Naarden.

'Dus meer dan anderhalf miljoen? Euro's?' vraagt Sanne verbijsterd.

'Zeker. Zeker meer,' knikt Rob.

'Allemachtig.' Sanne kijkt eerbiedig naar het fluwelen pakje dat zoveel geld vertegenwoordigt.

Van Naarden neemt bedachtzaam een slok van de koffie, vertrekt even zijn gezicht en zet dan het kopje weer op de schotel.

'Die koffie is lauw,' constateert hij.

'Ik heb helemaal geen trek meer in koffie,' bekent Rob.

'Hebt u nog steeds de overtuiging dat dit kapitaal niet zou kunnen bijdragen aan uw geluk?' vraagt Van Naarden. Zijn ogen flitsen onderzoekend heen en weer, van Sanne naar Rob en weer terug. Sanne zit in haar hoofd te rekenen. Anderhalf miljoen euro, hoeveel is dat in guldens? Allemachtig! En dan nog meer, zeg maar twee miljoen, dat is omgerekend, vier miljoen ruim, nee, vier komma vier... Rob draait het oor van het kopje koffie van zich af, trekt even met zijn mond, haalt dan zijn schouders op en zegt: 'Laat ik het zo formuleren: als u nou trakteert op een borrel? Want daar ben ik wel aan toe.' Van Naarden schiet in de lach, pakt het fluwelen pakje en bergt het zorgvuldig op in zijn attachékoffertje. Daarna wenkt hij de ober.

'Drie borrels. Als ze net zo koud zijn als de koffie, zijn we al een heel eind op weg.'

'Neemt u me niet kwalijk, meneer. Ik zal de koffie niet in rekening brengen,' zegt de ober meteen.

'Nou, nou. Wat een klantvriendelijkheid opeens,' mompelt Van Naarden.

Sanne is inmiddels uitgerekend. Ze kijkt Rob aan en kan het niet helpen. Ze moet het zeggen. Dus ze gooit het er zomaar uit. 'Ik zat net te denken: dat is een heel duur graf voor Henk Takken!' Rob kijkt haar aan en proest meteen van het lachen. Van Naarden verbergt even zijn gezicht achter zijn hand, maar als hij merkt hoe ontzettend Rob om Sannes opmerking moet lachen, laat hij zijn hand zakken en gooit zijn hoofd achterover. Zijn lach schalt door de hoge ruimte.

'Drie borrels,' zegt de ober. Drie bevroren glazen tot de rand gevuld met jonge jenever staan voor hen.

'Op Henk,' zegt Rob. 'Op Henk,' zeggen Sanne en Van Naarden. Ze proosten en drinken. Daarna staan ze alle drie meteen op. Van Naarden zegt tegen Rob: 'Het was me bijzonder aangenaam. U hoort nog van me als we het boek gaan presenteren. Dat is bij deze beloofd. En natuurlijk krijgt u bericht over het graf van uw vader. Als het goed is al deze week. Ik zal u thuisbrengen.'

'Graag,' zegt Rob.

Dan keert Van Naarden zich naar Sanne. 'U hebt een bijzonder talent om op momenten van spanning precies het juiste te zeggen waardoor alles ontdooit. Heel bijzonder. Ik zal u niet gauw vergeten.'

'Dank u. Dit was een heel bijzondere ontmoeting,' glimlacht Sanne. Van Naarden keert zich om en loopt naar de hoek van de toog waar de kassa staat. Sanne en Rob wandelen alvast het perron op.

'Eindelijk is alles afgerond,' verzucht Rob, als ze achter Van Naarden aan naar de auto lopen.

'Alleen het graf nog,' knikt Sanne.

Ze zwijgen voornamelijk in de auto als Van Naarden ze weer terugbrengt.

'We zijn geen prettig gezelschap,' zegt Rob verontschuldigend.

'Ik kan me voorstellen dat u doodmoe bent,' knikt Van Naarden.

'Ja, inderdaad,' geeft Rob meteen toe.

Als ze eenmaal thuis zijn, ploft hij meteen languit op de bank en zegt verontschuldigend: 'Ik heb even een wegtrekker.'

'Doe maar lekker je ogen dicht. Ik ga even met Hazel een rondje om,' zegt Sanne meteen. De hond danst om haar heen, en als ze een stok vindt, is het helemaal feest. Terwijl Sanne de stok weggooit, bedenkt ze nog een keer hoeveel geld er in dat fluwelen pakje zat. Hazel brengt dol van pret de stok weer terug en Sanne gooit. Zoveel geld. Nooit meer zorgen, niet voor ons, niet voor Wichard en Rinke... Ze gooit de stok opnieuw en schudt haar haren los in de wind. Een gebedenboek, ongelooflijk! Zoveel bloed als er aan dat voorwerp moet kleven. Triest eigenlijk. Een ontzettend kostbaar gebedenboek, gekocht met geld dat verdiend is door illegale wapenhandel en leveringen van chemicaliën waar hele dorpen mee zijn uitgeroeid. Schrijnend. Ze gooit de stok weg en kijkt naar Hazel die vrolijk terug komt rennen.

'Daar waren we toch niet gelukkig van geworden,' zegt Sanne hardop. 'Die wetenschap had het geluk altijd overschaduwd. Ik hoop maar dat ze iets goeds gaan doen met het geld.'

Als ze weer thuiskomt, zegt Rob vanaf de bank: 'Cootje belde net.'

'Cootje?' vraagt Sanne. 'Je moeder?'

'Ja! Ze komt volgende week langs met Fons. Want dan zijn ze een paar dagen in Nederland om dingen te regelen voor hun camping. Ze komen ook bij ons een kijkje nemen en willen graag met ons eten.'

'Ga je haar vertellen dat Henk dood is?' vraagt Sanne meteen.

'Ik weet het niet. Ik weet het echt niet,' weifelt Rob.

Het weerzien met Cootje is hartelijk. Rob kust zijn moeder zelfs spontaan en Sanne ziet hoe Cootjes gezicht straalt na die onverwachte actie. Fons vult het huis met zijn gezellige Vlaamse tongval en als ze aan tafel het glas heffen, voelt Sanne zich ontspannen en vrolijk.

'We vertrekken overmorgen naar Samos,' vertelt ze. 'Een reisje voor de krant. Heerlijk hoor, zo samen op pad.' Onbekommerd babbelt ze en Rob vult haar zinnen aan. Maar dan merkt ze opeens dat Cootje niet meer reageert. Ze ziet hoe ze kijkt naar het kleine roosje op Robs jasje.

'Cootje?' vraagt Sanne.

'Ja, sorry, ik...' Cootje kijkt haar verward aan. 'Ik zag dat speldje en ik herinner me ineens iets. Ach, spinnenwebben in mijn hoofd. Laat maar.' Ze glimlacht, maakt een wegwerpgebaar en pakt haar glas.

'Herken je het?' vraagt Rob meteen.

'Het lijkt wel, nee, dat is onmogelijk. Ik heb zo'n speldje ooit aan iemand gegeven. Als cadeautje. Om me nooit te vergeten. Sentimenteel gedoe, natuurlijk. En nu draag jij het. Dat frappeerde me wel even, ja,' vertelt Cootje. Haar hand trilt een beetje en Fons die dat heeft opgemerkt, pakt haar hand vast en wrijft hem liefdevol. Sanne en Rob wisselen een snelle blik. Sanne seint: je moet het nu vertellen.

'Ik heb het roosje van Henk Takken,' begint Rob. Meteen rolt er een traan over Cootjes wang en geluidloos huilend hoort ze het hele verhaal aan.

'Dus jij hebt dat roosje ooit aan Henk gegeven?' concludeert Rob. Cootje knikt.

'En behalve dat getijdenboek waarin hij zijn vermogen heeft belegd, was dat het enige in de kluis. Hij heeft het zijn hele leven bewaard,' zegt Rob.

'Triest. En mooi. Complex karakter, deze man,' zegt Sanne.

'Ik denk dat het contactje tussen zijn hoofd en zijn hart een beetje haperde,' vermoedt Fons. Sanne glimlacht om die prachtige omschrijving.

'Toch geeft het me een vreemd gevoel van rust dat ik weet dat hij nu dood is. Rustig en verdrietig tegelijk. Ik had nooit gedacht dat ik nog verdriet om hem zou kunnen voelen. Maar dat komt natuurlijk door dat malle speldje,' zegt Cootje.

'Ik ben er heel blij mee,' bekent Rob. 'Het is voor mij het bewijs dat hij toch ergens wel deugde. Hij is gewoon de weg kwijtgeraakt. En ik vind het een heel mooi speldje.'

'Het is geen zilver. Daar had ik geen geld voor,' zegt ze.

'Zilver is zo gewoon. Dit is juist bijzonder,' vindt Rob. Hij poetst met zijn servet over het roosje en zegt dan: 'Nu eten hè? Alles wordt koud!'

De dag erna pakt Sanne haar koffer in. Rob gaat met Hazel de post ophalen en komt tamelijk opgewonden terug.

'Er is een graf. We kunnen gaan kijken. Hier vlakbij! Dat hebben ze snel gedaan. Nog geen steen. We mogen van alles beslissen. Er zitten folders bij. En een kaartje van de plek waar het is. Wil jij mee? Het is wel kort dag, hè?'

Sanne vouwt een broek op, onderdrukt een zucht en zegt: 'Laten we meteen maar gaan kijken.'

Een halfuurtje later lopen ze over de oude begraafplaats van een naburig stadje. Grote, oude bomen bepalen het beeld en de aanleg is grillig, vol kronkelende paden en eilanden met houten bruggetjes. Uiteindelijk staan ze voor een nieuw graf, bedekt met dennentakken.

Rob staat een beetje verloren naar het plekje te kijken.

'We nemen de folders mee,' zegt Sanne zachtjes. 'Dan kun je rustig nadenken over een steen en een tekst. We kunnen hier ook iets planten. Er een mooi plekje van maken. Het hoeft niet allemaal meteen.'

'Een roos. We kunnen er een roos neerzetten,' zegt Rob.

'Ja. Een roos,' beaamt Sanne.

Rob zucht eens diep. 'Nou, dan gaan we maar,' besluit hij.

Zwijgend lopen ze over een schelpenpad en Sanne voelt feilloos aan wat Rob nu denkt. Dus zegt ze: 'Dit is geen plek waar je iets zult vinden. Die illusie moet je sowieso laten varen. Maar het is wel een plek die je behoedt voor een zinloze zoektocht. Want zoeken hoef je niet meer. Onthoud je dat?'

Rob is even stil. Dan knikt hij. Hij stopt en geeft haar een kus.

'Dank je wel,' zegt hij. 'Wijs mens!'

Die avond brengen ze Hazel naar Wichard. Sanne belooft Rinke een cadeautje als ze terug is, knuffelt Hazel, zoent haar zoon nog maar een keer en zakt weer op haar knieën om Rinke te omarmen, tot Rob haar meeneemt en hoofdschuddend zegt: 'We zijn maar tien dagen weg. Het lijkt wel of je gaat emigreren!'

Die avond belt ze met alle mensen die ze nog even gedag wil zeggen. Yvonne is de eerste. Als ze ophangt, wrijft ze haar oor dat pijn doet van de lange telefonade. Daarna belt ze Daan en Abel, juffrouw Schaap en tot slot haar zusje Cathy.

'Even snel hoor, we moeten morgen vroeg op,' vertelt ze.

'Samos? Dat is zo'n vreselijk eiland! Wat moet je daar nou? Dat is toch totaal passé? Je moet met een jacht langs de kust! Dat is helemaal in!' vindt Cathy.

'Doe je de groeten aan Willem? We moeten gauw eens afspreken,' zegt Sanne in een vruchteloze poging van onderwerp te veranderen.

'Jullie zitten al iedere keer in België! Waarom gaan jullie niet iets avontuurlijks doen? Ik denk erover om met Wim een trekking te doen in Nepal. Samos is zóóó suf!' hervat Cathy. 'Geef me Rob eens aan de telefoon.'

Sanne houdt de telefoon omhoog en zegt: 'Cathy wil jou even spreken.'
Rob neemt de telefoon aan, luistert en zegt dan: 'Cathy, je hebt helemaal gelijk. Maar Samos is gratis.'

Ze lopen naast elkaar door de smalle straatjes van Vourliotes en genieten van de doorkijkjes. Rob heeft een routebeschrijving in zijn hand en stopt af en toe om te lezen.
'Waar begint nu dat verrekte pad,' foetert hij.
'Eerst het dorp uit en dan moet het ergens rechts zijn,' leest Sanne mee. Een tijdlang lopen ze zwijgend achter elkaar aan. De lucht is zwaar van de geur van jasmijn en vanille. De wit-gekalkte huizen steken scherp af tegen de intens blauwe lucht. Ver beneden hen rollen de golven traag naar de rotsachtige kust, hier en daar daalt een pad naar een klein verborgen strand. Sanne geniet van de geuren en kleuren. De zon door-stooft haar nek, haar passen worden kleiner naarmate het pad stijgt.
'Het wordt warm vandaag,' hijgt Rob algauw.
'Boven is een picknickplaats. Daar gaan we wat drinken en eten,' belooft Sanne. Haar kuiten doen zeer en ze heeft er nu al spijt van dat ze geen zonnehoed heeft meegenomen.
'Waarom doen we dit eigenlijk?' kreunt Rob, als ze naast elkaar op het enige bankje zitten dat niet totaal verrot is.
'Omdat het biertje bij thuiskomst dan veel beter smaakt,' lacht Sanne. Voor het eerst is mijn hoofd leeg, bedenkt ze opeens. Ik ben alleen maar aan het lopen en genieten en kijken en snuiven en voelen. Verder niks. Ik denk niet, ik pieker niet. Nou ja, nu eventjes. Wonderbaarlijk! Ze lacht hardop, pakt Robs hoofd en geeft hem een kus op zijn neus.
'Als ik had geweten dat ik verslag moest doen van een wandel-

vakantie, had ik niet zo toegehapt,' gromt die. Hij wrijft zijn benen en daarna zijn nek.

'Nog een beetje water?' vraagt Sanne.

'Laten we maar doorbijten. Maar eerst nog een kus. Als oppepper.' Sanne kust hem nog een keer en Rob zegt braaf: 'Ja, nu gaat het wel weer.'

'Ik voel me zestien, met deze teksten,' lacht Sanne. Ze bereiken een klein, wit kerkje en lezen in het boekje dat ze absoluut de fresco's moeten bewonderen.

'Lekker koel,' geniet Rob.

'Het ruikt hier raar,' zegt Sanne.

'Fantastisch, die kleuren.'

'Net een vochtige, schimmelende kelder.'

'Kijk, prachtig zeg! Zo gaaf zie je ze zelden!'

'Of een graf.'

'Sanne, zie je het wel?'

'Ik wil weg.' Met een ruk keert ze zich om en loopt de donkere kerk uit. En terwijl ze met grote passen naar de deur beent, weet ze in een flits dat ze nooit meer, nooit meer in zulke ruimtes kan zijn zonder te denken aan de periode in die kelder. Die onmiskenbare geur, dat benauwde, nee, nooit meer. Als ze Robs hand op haar rug voelt, schudt ze meteen haar hoofd en zegt: 'Ik wil er niet over praten. Nu niet. Maar ik wil niet meer in dat soort ruimtes zijn. Jak. Nee.'

Rob zegt even niets. Hij streelt over haar rug. 'Doorgaan?' vraagt hij.

'Ja. Lekker buiten,' lacht ze.

Even later lopen ze onder pijnbomen door, in de schaduw. Volgens hun boekje moet daar een bladloze orchidee bloeien.

'Speur naar de purperkleurige stengel,' leest Rob voor.

'Zit er geen plaatje bij?' Hij schudt zijn hoofd.

'Het is hier zonder die orchideeën ook al prachtig. Wat een landschap. En wat wisselt dat snel. Telkens anders. Heerlijk!'

'Verderop moet je naar blauwe bloemetjes uitkijken. De scilla bifolia en de berganemoon,' leest Rob.

'Ik zie van alles, behalve de dingen die jij opleest!' lacht Sanne.
Ze lopen nu door een ruig en kaal rotsachtig gebied, maar als ze
de steile rotswand achter zich laten, zien ze in de verte Kokkari
liggen, een klein dorp aan de kust.
'Allemachtig, wat een uitzicht,' verzucht Sanne. Zonder erbij na
te denken spreidt ze haar armen uit in een gebaar: 'Dit is allemaal van mij!'
'Dat wordt nog een hele afdaling,' ziet Rob.
'Dan blijven we hier nog maar even staan. Water?' Ze houdt het
flesje uitnodigend voor zijn gezicht. Ze drinken en kijken. Rob
pakt de verrekijker en haalt plekjes in het landschap dichterbij
omdat hij in elke vlek een bijzondere vogel of klimgeit denkt te
ontdekken.
'Nee. Rotsblok,' mompelt hij dan teleurgesteld.
'Daar grazen wel geiten,' wijst Sanne.
'Ja. Die zijn van een boer. Er staat een muurtje omheen,' moppert Rob en Sanne schiet in de lach. Voetje voor voetje dalen ze
af langs het smalle, rotsachtige pad. Sanne ziet kleine salaman-
ders wegschieten en eenmaal ziet ze een slang liggen naast het
pad.
'Kijk dan!' fluistert ze meteen, alsof ze met haar stem het beest
zou kunnen verstoren. Eindelijk komt het pad uit op een weg. In
de verte zien ze de huizen.
'Terrassen!' wijst Rob meteen vrolijk. Een oude man naast een
met brandhout beladen ezeltje komt hen tegemoet. Hij steekt
zijn hand op en roept: 'Jassas!'
'Jassoe!' roepen Sanne en Rob vrolijk terug.
Hand in hand wandelen ze nu. Sannes hoofd is licht en vredig.
Ik loop hier zo lekker, denkt ze. Ik zou altijd wel zo door willen
lopen.
'Het eerste terras is voor ons,' beslist Rob.
'Wil je niet meer met me lopen?' vraagt Sanne.
'Natuurlijk wil ik met je lopen. Maar eerst wil ik met je zitten,
met je drinken, met je eten en met je slapen. Dan pas wil ik weer
met je lopen. Als het moet helemaal naar de hemel,' lacht Rob.

Een vriendelijke jongeman neemt hun bestelling op en al snel staat de tafel vol met eten en drinken.

'Efharisto. Efharisto poli,' zegt Rob in zijn beste Grieks. Triomfantelijk keert hij zich naar Sanne, maakt een weids gebaar naar de tafel en vraagt: 'Nou?'

'Ik ben er al. In de hemel,' geniet Sanne.